沖縄文学の魅力

沖縄の作家とその作品を読む

仲程昌徳
Masanori Nakahido

ボーダーインク

目次／沖縄文学の魅力

III　個別の章

I　山之口貘の章

「ない」ことをめぐる「思弁」

1

山之口貘の処女詩集『思辨の苑』は「巻尾の方から巻頭へと製作順に」置かれているが、その巻尾の詩に、

(A)恩人ばかりをぶら提げて
　交通妨害になりました

といった表現があり、また巻頭の詩に、

(B)まひるの空から舞ひ降りて
　襤褄は寝てゐる

夜の底
見れば見るほどひろがるやうひらたくなつて地球を抱いてゐる

といった表現が見られる。

巻尾に置かれた「ものもらひの話」(A)の二行、巻頭に置かれた「襤褸は寝てゐる」(B)の四行は、通常とは異なる表現になっている。

例えば(A)の「恩人ばかりをぶら提げて」といった一行。「ぶら提げ」ることができるのは「物」であって、概念ではないはずである。「恩人」と「ぶら提げて」とは、通常結びつかない。一行目と二行目との関係も同様である。語と語のレベルでも、文と文とのレベルにおいても、通常では見られない表現。結びつくことのない語と語、文と文とが強引に結びつけられている。オクシモンロン(対義結合、撞着語法)とも異なり、異領域語結合とでも呼んだ方がいいような表現法である。

(B)の「襤褸は寝てゐる」も(A)と類似の一行である。通常「寝る」は生命体の述部で、「襤褸」は「朽ちる」であろう。(B)の手法も、本来つながるはずのない語を連結したものであるが、(B)には、「夜の底」(a)、さらには「地球を抱いてゐる」(b)といった表現も見られた。こちらも通常ではない用法である。(a)は限定法、(b)は誇張法の一種で、(a)(b)句を含む(B)の詩はそれだけ(A)の詩に比べ多彩なものになっている。

(A)も(B)も似たレトリックになっていた。しかし、その内実は、擬物化と擬人化というように全く逆向きになっている。その擬物化や擬人化が、通常の表現とは異なる印象を強いものにしているとも言える。

擬物化や擬人化の手法は、しかし、貘だけが得意とする手法ではない。そしてそれは新しいレトリックでもなかった。貘の詩が異風な印象を与えるのは、「恩人」と「交通妨害」、「襤褸」と「地球」という範疇を異にする語の応答によるもので、何よりもその対応の妙にあった。

貘の詩の異風さは、そのように巻尾と巻頭、すなわち『思辨の苑』に収録された最初の「製作」になるものにも最後の「製作」になるものにも見られた。そのことは、巻頭と巻尾の間に置かれたその他の詩篇にも共通して見られることを示していよう。

2

貘の詩に見られる通常とは異なる表現を巻尾から巻頭へと「製作順」に見ていくと、巻尾の「恩人ばかりをぶら提げて／交通妨害になりました」（／は行変えを示す。以下同）を始めとして、

2「港からはらばひのぼる夕暮」「生活の遠景をながめる」「うすぎたない郷愁」
3「東京の言葉を拾ひあげる」「輝く言葉の街」
4「男と女の流行《はや》る季節」
5「眼下には天が深い」

6「小さな頭で空をつついてゐる」「一匹の小さな季節」
8「掴んだ女がくたばるまで打ち振つて／街の横づらめがけて投げつけたい」
13「私の顎下を／夜はなんどもなんども流れてゐたやうです」
11「健康が重たくなつて／次第に地球を傾けてゐるのをかんじるのである」
19「父を罵つた／人々を罵つた／友人達を罵つた／親友を罵つた」「うすぐもる旅愁をながめ」「人情の歯ざはりを反芻する」
21「空でも被つて　側には海でもひろげて置いて　人生か何かを尻に敷いて」
22「話をみないであんまり僕ばつかりをみてゐると」
23「夜空と陸との隙間にもぐり込んで」
24「地球がぶらさがつてゐる」
25「夜を掴んで引つ張り寄せたい」
26「大抵の天の空は潜つてしまふたのです」
29「青空に囲まれた地球の頂点」
30「雨にぬれた午後の空間に顔をつつこんでゐる」
31「下から照らしてゐる太陽をながめてゐる」
32「昨夜　置きつ放しの足が　手が　胴体が　乱雑してゐる（中略）よろめくたびの僕にゆすぶられて　そこに朝が綻びかけてゐる」「月日の上をうろついてゐる」

「ない」ことをめぐる「思弁」

　　は糞の日々をながめ」

58「血沫をあげ／あはただしくも虎年が来た」

59「まひるの空から舞ひ降りて／襤褸は寝てゐる／夜の底／見れば見るほどひろがるやうひらたくなつて地球を抱いてゐる／襤褸は寝てゐる／鼾が光る／うるさい光／眩しい鼾」（引用詩句の頭に付した数字は、「製作順」の番号である。以下同）

といったように、ほぼ全詩篇から拾い出すことができる。

　このグループを今仮に甲群とすると、甲群とは別に、

2「錘を吊したやうに静かに胡坐をかいてゐて」
3「戸をひらくやうな音を立てて笑ひながら」
6「煙のやうにその身をくねらせてゐる」
7「見えもしない風を見てゐるかのやうに」
14「あなたの目は仏壇のやうにうす暗い」「私は私の良心が　もしや唇のやうな格好をしてゐるのではないかと」
15「空気のやうにがらんとしてゐる夜である」「蟹の眼のやうに僕は眼をとんがらせて」
16「雨の足先が豆殻のやうにはじけてゐる／バリカンの音は水のやうに無色である／頭らが野菜の

やうに青くなる／山羊の仔のやうな／ほそいおとがいの芸妓もゐる」
17「自分の股影に／ほんのりと明るむ喬木のやうなものをかんじるのである」
24「あの浮浪人の寝様ときたら／まるで地球に抱きついてゐるかのやうだとおもつたら」
28「曇天のやうな郷愁」
29「地球の中心をめがける垂直のやうに／私の姿勢は一匹の女を狙つてゐる」「引力のやうな情熱にひつたくられてゐる」
30「枯木のやうな情熱となつて」「精神のことごとくが　あるこうるのやうに消えて」
31「僕は静物の親類のやうに生きてしまふのであらうか」
32「よくも情類のやうなやはらかいものばかりを食べて」「つんぼのやうになつて　僕のゐる風景を黙読してゐると」
36「魚のやうな眼である」
38「岬のやうになつた恋愛をながめる僕だつたつけ」
41「図案のやうな風俗」
54「米粒のやうに光つてゐた箸の」

といったのもあった。

このグループを仮に乙群とすると、乙群はいわゆる直喩表現になるもので、その限りでは異風な表現とは必ずしも言えないが、乙群が、特異な表現を増幅するものになっていることは間違いない。

3

(A)(B)に見られたように、貘の詩は、範疇の異なる語と語、文と文との連結、限定法、誇張法そして擬人化、擬物化、直喩といったようなレトリックが駆使され、通常の表現とは明らかに異なるものとなっていた。それにも関わらず、「平易な詩」であると言われているのは、一体なぜなのだろう。

まず一つは語のレベル。

(A)で言えば「恩人」「交通妨害」、(B)で言えば「襤褸」「地球」といった語である。これらの語は難解語とは言えない。むしろ日常語である。そしてそれは、貘のすべての詩語について言うことができる。

二つには、述部。

それらを単純化して列挙していくと、

(ア)「言ひました」(1)、「言つた」(39、41、47)、「言ふんだが」(42)、「言ふのだ」(43)、「言ふと」(48)、「おつしやるか」(52)

(イ)「あつた」(3)、「ある」(11)、「あります」(18)、「のである」(8、14、15、17、21、22、23、

25、28、29、30、31、45）
（ウ）「ゐる」（6、36）、「ゐた」（57、58、59）
（エ）「です」（10、13、20、26、27）、「のです」（7、9）
と言ったように、大略四つのグループにまとめることができる。それをさらに大別すると「言う」形と「ある」形に分けられるほど、くっきりした型を持っている。「言う」形は会話体を、「ある」形は口語文の指標となるもので、特別に改まった感じをいだかせない。
三つには歌われた対象。

私は　雨にぬれた午後の空間に顔をつっこんでゐるのである
身を泥濘に突き刺して私はそこに立ち止まつてゐるのである
全然なんにも要らない思想ではないのである
女とメシツブのためには大きな口のある体格なのである（30「解体」、九行から十二行）

『思辨の苑』は、そのほとんどが「解体」に歌われている「女とメシツブ」を対象にしている。「生」と「性」という人間の行為と関わり、極めて身体論的である。
貘の詩が「平易」であるとされるのは、多分、そのように「生」と「性」が、対話的で、陳述的なかたちをとり、身近な言葉でもって歌われていることにある。そしてその身近な言葉による「生」

と「性」の表現は、ともすれば「単調」になってしまう危険がある。「平易」から「単調」へは一歩の距離でしかないが、貘の詩が「平易」でありながら、「単調」を脱しているのは、先にあげた甲群、乙群に見られるような手法とともに、さらに大切な技法が駆使されているところにある。

現金（11）

誰かが
女といふものは馬鹿であると言ひふらしてゐたのである
そんな馬鹿なことはないのである
ぼくは大反対である
諸手をあげて反対である
居候なんかしてゐてもそればかりは大反対である
だから
女よ
だから女よ
こつそりこつちへ廻つておいで
ぼくの女房になつてはくれまいか

「現金」も、貘の詩の特質とも言える同一語の反復になるものである。そして、同一語の反復も、時に「単調」を際立たせるものとなるが、「現金」がそのような感じを抱かせないのは、「反転」の鮮やかさにあった。

「反転」は、貘の詩法のもっとも優れた特徴として挙げられるもので、それは「女」を対象にした詩篇にだけ見られるものではない。

座蒲団（50）

土の上には床がある
床の上には畳がある
畳の上にあるのが座蒲団でその上にあるのが楽といふ
楽の上にはなんにもないのであらうか
どうぞおしきなさいとすすめられて
楽に坐つたさびしさよ
土の世界をはるかにみおろしてゐるやうに
住み馴れぬ世界がさびしいよ

「現金」のように「だから」という直接的な用法で現れるだけでなく、「座蒲団」のように「楽に坐つたさびしさよ」といった「異領域結合」の型で現れることもある「反転」。

ユーモア、アイロニー、ペーソスといったような貘の詩について述べられる評のすべては、この反転によって生まれてきたものだといっていい。さらには貘の詩の最大の魅力ともいえるリズムも、そこに発していよう。

では、その貘の詩の内実、構造と言い換えてもいいが、それを生み出している「反転」は、どこから出てきたのだろうか。

それは「ない」ことの認識をめぐって生まれてきたといっていいだろう。「ない」状態を際立たせるための最大の戦略としてそれはあったし、「ない」ことをめぐる「思弁」が生み出した方法であったのである。

次の詩は、それがよく表れた一篇である。

妹へ送る手紙（27）

なんといふ妹なんだらう
兄さんはきつと成功なさると信じてゐます　とか
兄さんはいま東京のどこにゐるのでせう　とか
ひとづてによこしたその音信《たより》のなかに

妹の眼をかんじながら
僕もまた　六、七年振りに手紙を書かうとはするのです
この兄さんは
成功しようかどうしようか結婚でもしたいと思ふのです
そんなことは書けないのです
東京にゐて兄さんは犬のやうにものほしげな顔してゐます
そんなことも書かないのです
兄さんは　住所不定なのです
とはますます書けないのです
如実的な一切を書けなくなつて
とひつめられてゐるかのやうに身動きも出来なくなつてしまひ
満身の力をこめてやつとのおもひで書いたのです
ミナゲンキ
と　書いたのです。

「書けないのです」「書かないのです」「書けなくなつて」というように、書こうとするが書けない、書けなくなって書いた言葉、その「ない」をふり絞って生まれたのが、貘の詩であった。

応答の詩学

―「いう」の形相

『鮪に鰯』は、「野次馬」を巻頭に「ひそかな対決」「弾を浴びた島」「桃の花」「核」「首をのばして」「ある家庭」「元旦の風景」「十二月のある夜」「かれの奥さん」「表札」と続く。

題名から推測できるように、詩は、それぞれにその内容を異にしているが、それらのどの詩篇にも共通して見られる語句が出ていた。

まず巻頭に置かれた「野次馬」である。

これはおどろいたこの家にも
テレビがあったのかいと来たのだが
食うのがやっとの家にだって
テレビはあって結構じゃないかと言うと
貰ったのかいそれとも

買ったのかいと首をかしげるのだ
どちらにしても勝手じゃないかと言うと
買ったのではないだろう
貰ったのだろうと言うわけなのだが
いかにもそれは真実その通りなのだが
おしつけられては腹立たしく
余計なお世話をするものだと言うと
またしてもどこ吹く風なのか
まさかこれではあるまいと来て
物を掴むしぐさをしてみせるのだ

貧乏が疑惑を生み出すやりきれなさを貘独特のユーモアでもって表現した一篇は、「テレビ」をはじめ「貰った」「買った」を繰り返し用い、修辞法でいうところのいわゆる漸層法が採られているが、その効果をたかめているのに「いう」を語幹、基本単位にした語句があった。

「野次馬」ではそれが「と言う」形で現れていた。続く「ひそかな対決」では、次のようになっている。

ぱあではないかとぼくのことを

こともあろうに精神科の
著名なある医学博士が言ったとか
たった一篇ぐらいの詩をつくるのに
一〇〇枚二〇〇枚だのと
原稿用紙を屑にして積み重ねる詩人なのでは
ぱあではないかと言ったとか
ある日ある所でその博士に
はじめてぼくがお目にかかったところ
お名前はかねがね
存じ上げていましたとかで
このごろどうです
詩はいかがですかと来たのだ
いかにもとぼけたことを言うもので
ぱあにしてはどこか
正気にでも見える詩人なのか
お目にかかったついでにひとつ
博士の診断を受けてみるかと

ぼくはおもわぬでもなかったのだが
お邪魔しましたと腰をあげたのだ

「著名」な「医学博士」を皮肉たっぷりに歌った「ひそかな対決」では、「言った」「と言った」「言う」形になっている。

そして、数十年振りに帰省したときの戸惑いを歌った三番目の「弾を浴びた島」では、

島の土を踏んだとたんに
ガンジューイとあいさつをしたところ
はいおかげさまで元気ですとか言って
島の人は日本語で来たのだ
郷愁はいささか戸惑いしてしまって
ウチナーグチマディン　ムル
イクサニ　サッタルバスイと言うと
島の人は苦笑したのだが
沖縄語は上手ですねと来たのだ

と、「と言う」形とともに「言って」の形が用いられていた。
それが、四番目以降の詩篇では、

4、「ミミコは返事にこまったと言うのだ」「沖縄じゃないかと言うと」「ミミコは東京でみんなまちまちと言うのだ」「ミミコは東京と答えたのだと言うと」(「桃の花」)
5、「もうお年ですからと言えば」(「核」)
6、「いらないんですと言う」(「首をのばして」)
7、「またしても女房が言ったのだ」「あるもんじゃないやと女房が言ったのだ」(「ある家庭」)
8、「女房はそう言いながら」(「元旦の風景」)
9、「マダムはそっぽを向いて言った」(「十二月のある夜」)
10、「なるみたいなことを云い」「死ぬより外ないみたいなことを云い」「なぐりつけたと云うのだが」(「かれの奥さん」)
11、「自分の表札というものを」(「表札」)

となっていて、「と言う」「と言えば」「言った」「言いながら」「云い」「というもの」のようになっていた。

巻頭の「野次馬」から「表札」まで、そのように「いう」を語幹、基本単位にした語句がいずれの詩篇にも用いられているが、それは一一篇だけでなく、『鮪に鰯』に収録された詩篇一二七篇中七一篇の大半に及んでいた。

「いう」を語幹、基本単位とする語句は、しかし『鮪に鰯』に目立って見られるというのではなかった。貘の最初の詩集『思辨の苑』、『思辨の苑』に一二篇を加えて刊行された『山之口貘詩集』も、その大半を「いう」を語幹、基本単位にした語句が占めていた。

ものもらひの話

家々の
家々の戸口をのぞいて歩くたびごとに
ものもらひよ
街には沢山の恩人が増えました

恩人ばかりをぶら提げて
交通妨害になりました
狭い街には住めなくなりました

ある日
港の空の出帆旗をながめ
ためいきついてものもらひが言ひました
俺は
怠惰者　と言ひました

「ものもらひの話」は『思辨の苑』に収められた詩篇の最初を飾った一篇である。『思辨の苑』が逆年順に編纂されていたことを思えば、貘の詩的言語を決定づけた一篇であったといっていいが、そこにまず「言ひました」「と言ひました」といった形で現れていたのである。

以後、「いう」は、次のように現れてくる。

1、「ボクントコヘアソビニオイデヨ／と言ふのであつた」（「晴天」）
2、「僕にも女が掴めるのであるといふ」（「若しも女を掴んだら」）
3、「ある男とある女がある所であれだつた　と言ふのです／むろんその女にをつとなんかあるもんですか　と言ふのです」（「教会の処女」）
4、「小父さんはなんといつてもそれは得なんですよ」（「春愁」）
5、「誰かが／女といふものは馬鹿であると言ひふらしてゐたのである」（「現金」）

6、「あなたがあのひとと寝るのであるといふことに就いて」（「端書」）
7、「詩人の私であるといふより外はないのです」「どちらが娘を愛し得るかといふことになつたら」「お湯の帰りに　ふとそのイボに指をふれてみたら血が出てゐたと娘は言ふ」「邦子といふのがその娘である」（「座談」）
8、「蔑視蔑視と言つて私はあなたの視線を防いでばかりゐるので」「愛する愛すると私が言ふてゐるのに」（「唇のやうな良心」）
9、「これがあるか　といふやうに」「今度といふ今度こそは女を見つけ次第」（「萌芽」）
10、「女よ　そんなにまじめな顔をするなと言ひたくなるのである」（「立ち往生」）
11、「残飯でもあるなら一口僕に　と言ひたがつてゐる僕なんですが／髯を剃りたまへ　と彼は言ふのです」「僕は　と僕は言ひかけて／僕も髯を剃らう　と言ふてしまふた僕なんですが／言ひたいことが言ひたくて」（「鏡」）
12、「さよならを先に言ふて置きたいのである」「言ひかへると」（「大儀」）
13、「徹底しろ　と僕に言つたつて」「金を呉れと言ひ出すから」（「論旨」）
14、「僕は言はなかつたのです」「すると彼が僕に言つたのです」（「疲れた日記」）
15、「なんといふ妹なんだらう」（「妹へおくる手紙」）
16、「頭のむかうには　晴天だと言つてやりたいほど無茶に　曇天のやうな郷愁がある」（「賑やかな生活である」）

17、「ついでに言ふが／女房といふ物だけはおさがり物さへないのである」「『これは女房であります』と言つてしまつて」（「青空に囲まれた地球の頂点に立つて」）
18、「食べものの連想を添へながら人を訪ねる癖があるとも言へる」「なんと言つたらよいか」（「解体」）
19、「僕の所へ遊びに来たまへと皆に言ふたのである／そのうちにゆくよと皆は言ふのであつたのである」（「夜」）
20、「『ないんだ』と声が言つた」（「夢の後」）
21、「一文もないと彼は言ふ／あつても健康なものにはもう貸さない　と彼は言ふ」（「光線」）
22、「僕の顔さへみればいふやうだが」（「生きてゐる位置」）
23、「僕がゐるかはりにといふやうに」「まるで生き過ぎるんだといふかのやうに」（「石」）
24、「歩き方が男のやうだと自分でも言ひ出した」（「第一印象」）
25、「操ではないのよ　と女が言つたけ／ひらがなのみさをでもないのよ　カタカナで　ミサヲと書くのよ　と女が言つたつけ」（「岬」）
26、「『さよなら』と僕は言つた／『今夜はどこへ帰るの？』と女が言つた」「『おはやう』と女に言つた／『どこから来たの？』と僕に言つた」（「挨拶」）
27、「女はあちらの景色に見とれてゐる　子を産むことが一番きらひと言つてゐる」（「日曜日」）
28、「お国は？　と女が言つた」「ずつとむかうとは？　と女が言つた」「素足で歩くとかいふやうな」

「南方とは？　と女が言つた」「アネツタイ！　と女は言つた」（「会話」）

29、「あれとは口など利くなと言ふのに」「だからあれを好きになつたんだらうと言ふんだが」「だからそれみろ　それはおまへが　あれを好きになつたんだからであらうと言ふんだが」「僕がものいふたびに降るものは」「だからもういふまいと口を噤んでみるんだが」（「音楽」）

30、「娘さんを僕に呉れませんかといふ風に／縁談を申し込みたいと僕は言ふのだが／浮浪人のくせに　と女が言ふたんだといふやうに」「人並みの生活をなんとか都合したいと僕は言ふのだが／それではものわらひになる　と女が言ふたんだといふやうに」「だからこんなに僕が話しても僕のこころがわからぬのかと言ふのだが／さよなら　と女が言ふたんだといふやうに」（「無機物」）

31、「産むぞ　といふやうに一言の意志を伝へる仕掛の機械」「嫌です　といふやうに一言の意見を伝へる仕掛の機械」「交接が　親子の間にものを言わせる仕掛になつてはゐないんだから」（「マンネリズムの原因」）

32、「僕らが僕々言つてゐる」「社会のあたりを廻つて来いと言ひたくなる」（「存在」）

33、「女が言つた」「僕は言つた」（「僕の詩」）

34、「青年は僕に酒をすすめながら言ふのである」「さあ！　と言ふと」「さあ！　と言ふと」「なんですか！　と言ふと」「なんだすかと僕に言つたつて」「僕なんだからくれくれいふやうにうごいてゐるんだが見えないのか！」「めしを食ふそのときだけのことなんだといふやうに生きてゐるんだが見えないのか！」「反省するとめしが咽喉につかへるんだといふやうに地球を前にしてゐるこの僕なんだがみえないのか！／それでもうそだと言ふのが人間なら」「僕なんだからと言つたつて　僕を見せるそのために死んで見せる暇などないんだから／僕だと言つても／うそだと言ふなら」（「数学」）

35、「畳の上にあるのが座布団でその上にあるのが楽といふ」（「座布団」）

36、「詩人をやめると言つて置きながら　詩ばつかりを書いてゐるのではないかといふやうに」「寄越したものはほんの接吻だけで　どこへ消えてしまふたのか　女の姿が見えなくなつたといふやうに」「どれもこれもが暫くだつたといふやうに大きな面をしてゐるが」（「再会」）

37、「生きるとかいふ人間類」（「思弁」）

38、「詩を書くことよりも　まづめしを食へといふ」「死ねと言つても死ぬどころか死ぬことなんか無駄にして食つてしまつたあんばいなんだ」「食ふ物がなくなつたんだといふやうに電信柱や塵箱なんか立つてゐて」「なるべく長命したいといふのが僕なんだ」（「転居」）

39、「落つこちるといふことのない身軽な獣」（「猫」）

40、「呼吸するための鼻であるとは言へ」「くさいと言ふには既に遅かつた」（「鼻のある結論」）

41、「虎だ　と云へば／上野の動物園や虎の皮や　虎そのものを思ひ出すといふことよりも」「弱つたとかれが言つた／ことしは虎で困つたことになつた　と言つた」「それは虎狩りの少年達が困る　と僕は言つた」（「加藤清正」）

『思辨の苑』ではそのように五九篇中四二篇、ほぼ七〇%を占めていた。『思辨の苑』に一二篇を加えた『山之口貘詩集』では

1、「ひつぱつてゆくんだと彼女は云つた」「ひつぱつてゆくんだがうちのとうさんは人夫ではないよと彼女は云つた」「人夫を大勢ひつぱつてゆくんだと云ふ」「見てゐるだけだと彼女は云つた／人夫のかんとくさんだらうと云ふと／身悶えしながら彼女は云つた」「職を見つけてもらへと云つた」「話をしろと云ひ」「おまへのことだよなんだいと云ひ」（「日和」）
2、「いつになつたら「戦争」が言へるのか」（「紙の上」）
3、「彫刻家になりたいもんだと云ふ小説家」「生殖器にでもなりすますんだと云ふ恋愛」「お米になつてゐたいと云ふ胃袋」（「夢を見る神」）
4、「女が傍にくつついてゐるうちは食へるわけだと云つたとか」（「友引の日」）
5、「言はば」（「結婚」）
6、「炭屋のおやじは炭がないと云ふ／少しでいいからゆづつてほしいと云ふと／あればとにかく少しもないと云ふ」「どうにもしやうがないと云ふ」（「炭」）
7、「貘といふ獣は／夢を食ふといふ」「うむまあ木といふ木がある」「かなしい声や涙で育つといふ／うむまあ木といふ風変りな木もある」（「世はさまざま」）

8、「その親のそのまたうしろがまたその親の親であるといふやうに」「その子のそのまたまへはそのまた子の子であるといふやうに」（「喪のある景色」）

と、一二篇中八篇に見られ、六七％に及ぶ数値を占めていた。

『思辨の苑』『山之口貘詩集』そして『鮪に鰯』にいたるまで、貘は実に「いう」を語幹、基本単位にした語句を多用していたことがわかるが、それに「いう」の類語「仰る」「述べる」「叫ぶ」「ささやく」「しゃべる」「歌う」「詠む」「ほのめかす」「話す」「ぼやく」「うそぶく」「ばらす」「名乗る」「伝える」「論じる」「呼ぶ」「問う」「鳴く」等の語句が見られる詩篇を加えていくと、そのほとんどが「いう」及びその類語で埋められていくことになる。

山之口貘は、そのように「いう」を語幹、基本単位とする語句及び「いう」の類語を多用しているが、その「いう」を国語辞典にあたると、次のようになっている。

いう「言う・云う・謂う」

一（他五）（必ずしも伝達を目的とはせず言葉や音声を発する表出作用をいう）１（心に思うことを）言葉に出す。言葉で表現する。２名づける。よぶ。３世間でいい習わす。４言い寄る。求婚する。５約束する。６口ずさむ。７論議する。問題にする。二（自五）１（動物が）声を発する。鳴く。２（擬声語について）そのような音をたてる。３（まれに擬態語に付いて）そのような状態が目立つ。4（普通、序詞「と」に付いて）提示された事態をとりたてて断定または認定して、下の叙述につなげる。実質的な意味を失い……の言葉で表示されるものである、……である、などの意を示す形式化した用法。

国語辞典は、最初に「必ずしも伝達を目的とはせず言葉や音声を発する表出作用をいう」と規定していた。「ものもらひの話」の「いう」は、確かに辞書のその規定に添うものであったが、「晴天」の「ボクントコヘアソビニオイデヨ／と言ふのであつた」は、「伝達を目的」にした用法になっていた。そして貘の「いう」は、その後「伝達を目的」にした用法が主になっていく。

独り言、つぶやきの「いう」、さそいかけの「いう」、そして問いかける「いう」（「会話」）さらには反問する「いう」（「数学」）といったように、「いう」は多様な形相を見せていくが、何故、貘は、そのように「いう」を語幹、基本単位とした語句を繰り返し用いたのであろうか。

「いう」には、「言い寄る。求婚する」という意味があった。『思辨の苑』が、結婚したいという思いを歌った詩篇で満たされていたことを思えば、「いう」が、多く用いられることになったのも不思議なことではない。また「いう」には、「約束する」「問題にする」という意味もあるとされるが、それも、不如意な生活を送らざるをえなかったことで、再三再四お願いしなければならない事情が生じたために「いう」の頻出という事態になったということはあるに違いない。

貘の詩は、彼の実生活と無関係ではなかった。無関係ではないどころか、生活そのものであったといっていいだろう。それ故に「いう」形が多くなったということはあるだろうが、それだけではないはずである。

貘が、「いう」を繰り返し用いたのは、詩の基本を応答にあると考えていたことによるのではなかろうか。伝達を目的としないかたち、呼びかけ、つぶやきといった「いう」もあるにはあるが、それも、相手があることを前提にしなければなりたたない。

貘の詩が身近に感じられるのは、身近な出来事を扱っていることにもあるが、それ以上に応答を基本にした詩が、応答への参入を促すからに違いない。そしてその応答が、貘の詩の独特のリズムの根源をなしているといっていいのではなかろうか。

『新編 山之口貘全集 第一巻 詩篇』に触れて

『新編　山之口貘全集 第一巻 詩篇』（以下『新編』）は、一九七五年七月に刊行された『山之口貘全集　第一巻　全詩集』（以下「全詩集」を『旧版』とし、「全集四巻」を一括して『旧全集』とする）とは比較にならないほど充実したものとなっている。

まず、その第一点は、「既刊詩集未収録詩篇」及び「その他の既刊詩集未収録詩篇」といったように、これまで筐底に秘されていた数々の詩篇が収録されたことである。「既刊詩集未収録詩篇」のなかの「詩集　中学時代（八篇）」は、『旧版』にもあり、また「短歌三十二首」と「短歌十三首」及び「日向のスケッチ」以下「病んだ日」までの二五篇についてもすでに紹介されたことはあるが、「うちのしろ」以下「人生と食後」までの四八篇には、『旧全集』の「第四巻評論」に「児童詩」として収録されていた二五篇以外の作品が見られるし、「その他の既刊詩集未収録詩篇」六篇は、『旧全集』の何れの巻にも収録されたことのなかったものである。

『新編』は、そのように、『旧版』には収録されてなかった習作期の詩篇や短歌作品、その他の詩篇が一括されたことで、貘の詩の世界を鳥瞰するのに大層簡便になったということがある。とりわけ、『旧全集』では、「児童詩」が「第四巻評論」に収録されるといった不自然さが見られたが、それが解消されただけでなく、貘には、あと一つ、別の詩の世界があったということが、一目瞭然となったのである。

貘の詩の全体が容易に見渡せるようになったことで、これまでほとんど視野に入ってくることのなかった「児童詩」の世界が浮上してきたといっていいが、それだけに、しっかり検討していく必要のある課題も出てきたのである。

貘の「児童詩」は、一九五三年から一九六三年にかけて雑誌『小学一年生』から『小学六年生』そして『中学生の友』といった学習雑誌に数多く掲載されているが、貘の詩が、何故、そのような学習雑誌に登場するようになったのか、といったことなどがそうである。

貘が生前刊行した『思辨の苑』『定本山之口貘詩集』には、児童生徒の学習を鼓舞するような詩篇など絶無であったといっていいし、児童生徒のことを眼中においた作品などさらになかったといえるからである。

学習雑誌の編者たちは、何を見て、そのような詩人に、学習雑誌の紙面を飾るための詩を依頼しようと考えたのか、という点については、しかし、はっきりしていることがある。貘の詩の評者が一様に指摘しているように、貘の詩は「平易な言葉で作られている」からであり、そのような見方が、広く行き渡っていたといえるからである。

橋本祥路は「教材としての子どもの歌」(『現代日本児童文学詩人名鑑』)で、「子どもたちに比較的人気のある歌の詩を分析してみると、次のようなことがわかる」として「○平易な言葉で作られているもの　○物語性のある内容のもの　○自分がその詩の主人公になれるようなもの　○詩の内容が今の自分の心情と合致しているもの　○きらりと光る言葉が一箇所でもあるもの　○興味・関心をもって新しい発見ができるもの」といった点をあげていた。橋本のそれは人気のある「子どもの歌の詩」、すなわち歌詞に関して分析したもので、子どもの「詩」について分析したものではないが、それは「児童詩」に関しても適応できるもので、とりわけそのなかの第一番目に挙げられている「平易な言葉で作られているもの」というのは共通しているといっていいだろう。

児童生徒の学習雑誌に貘の詩が登場した理由は、彼の詩が「自分がその詩の主人公になれるようなもの」であるとか「詩の内容が今の自分の心情と合致しているもの」であるとかといった詩を発表していたことによるのではなかったはずである。貘が生前刊行した詩篇を彩っていたのは貧乏詩人・放浪詩人の生活であって、小学生や中学生がその「主人公」になりたいと思えるようなものではなかったであろうし、ましてや「自分の心情と合致している」などといえるようなものでもなかったはずである。それでも、学習雑誌の編者たちは、貘を選んだのである。

貘の詩は、確かに誰にもわかる「平易な言葉」でもって表現されていた。しかし、その内容は、決して「平易」であるわけではない。それは、『小学国語』六下に「天」が採用されたことに対して、丸谷才一が「国語教科書批判二、よい詩を読ませよう」(『日本語のために』)のなかで、きびしい批判を「国語教科書の編者」たちにむけて放ったことによく現れていた。

小学生や中学生の学習雑誌の編集者たちは、貘の詩の内容にではなく、「平易な言葉」でもって書かれているという点に眼をつけ、貘の詩なら小学生や中学生でも理解できるだろうと考えたのである。貘の小学生や中学生の学習雑誌への登場は、そこに大きな理由があったといっていいが、「うちのしろ」以下の作品について言えば、貘は、橋本祥路が挙げていたような「子どもの歌」の特質を充分に熟知していて、小さい読者のために精一杯努力したといえるだろう。

「児童詩」については、あと一つ、付け加えておかなければならないことがある。

貘は、一九四三年に「オオゾラノ　ハナ」「アカイ　マルイ　シルシ」といった詩を『コドモノヒカリ』に発表していた。その件については、二〇〇三年一二月一〇日から一二日まで『琉球新報』に「詩人は戦中をどう生きたか―山之口貘の軌跡―」として発表された伊佐眞一の「戦争詩」批判、それに答えて同じく『琉球新報』一二月二三日から二四日にかけて発表された松下博文「検証　戦時体制下の山之口貘　戦争と創作のはざまで」があり、いずれも情理を尽くした好感のもてる好論があるので、それらにあたってもらいたいが、伊佐の指摘は、貘の読者に大きな衝撃を与えた出来事であったといっていいだろう。少なくとも、これまで「戦争詩」を書いてないことで貘を評価してきたということに関しては、見直しをせまるものがあった。

貘の詩の読者の多くは、『コドモノヒカリ』に発表された二篇とともに、その前に発表された「加藤清正」や「紙の上」等の詩篇があることを知っているはずである。そして「加藤清正」等の詩篇をとりあげて、貘の戦中の姿勢を評価してきたはずだが、『コドモノヒカリ』の二篇をめぐる伊佐、松下の応答は、戦中を生きた表現者の作品には、幾重にも慎重にあたらなければならないということを改めて気づかせてくれるものがあった。

○

『新編』が『旧版』に比べて充実したといえる第二の点は、「既刊詩集未収録詩篇」及び「その他の既刊詩集未収録詩篇」とともに、松下博文編になる「解題」が附されたことである。松下の「解題」と「既刊詩集未収録詩篇」及び「その他の既刊詩集未収録詩篇」から実に興味深い世界がいろいろと見えてきた。

その一は、「沖縄島」が一九五〇年五月号『人間』に発表されていたという件についてである。「沖縄島」の収録およびその発表年が明らかになったことで、貘が積極的に沖縄をうたうようになったのはいつ頃からか、といったことが見えてきた。

「沖縄島」は、比屋根安定の沖縄報告に触発されて書かれたものであったといっていいだろう。比屋根が、沖縄の視察を終えて東京に戻ったのは一九四九年四月三日であるが、『沖縄新民報』は、五月十五日「見て来た沖縄に失望　然し望みなきに非ず　比屋根氏東京で語る」の見出しで「総司令部の命により沖縄本島の宗教、教育、民情の視察を終へた比屋根安定氏は岩原盛勝氏を帯同し四月三日、空路帰京し、見てきた沖縄につき次の如く語った」として、比屋根の談話を掲載するとともに、「比屋根氏の報告演説会」として「(東京発) 総司令部の委嘱によって基教伝□視察の旅を終えて先程沖縄から帰京した青山学院大学教授比屋根安定氏並に沖縄キリスト教同志会主事岩原盛勝氏の報告講演会は沖縄人連盟総本部主催で五月十四日午後一時から総本部で開かれた。会者は布哇から来朝した玉代勢法雲氏を初めとして在京沖縄県人各方面の有名人が四五十名も集まり盛会であった。定刻神山連盟会長の挨拶があって岩原氏が皮切りに比屋根氏と共に沖縄の政治、経済、社会、教育、宗教各面に就いて詳しい報告がなされて後質疑応答があり午後四時頃各々感銘を得て散会した」という記事を出していた (□は不明箇所)。

比屋根は、持ち帰った「ひめゆりの塔」の資料を石野径一郎に託し、石野は、それを元に小説「ひめゆりの塔」を書いて『令女界』に発表、大きな反響を呼んだということはよく知られていることであるが、比屋根の「報告演説会」の参会者の中に、貘の顔もあったに違いないのである。貘は、比屋根の話に、衝撃を受けたのではなかろうか。それが「沖縄島」になったと考えられるのだが、「沖縄島」が筐底に秘されたのは、書き足りない部分が多く残ったという思いがあってのことであろう。

「沖縄よどこへ行く」が、発表されたのが一九五一年。貘が、積極的に沖縄をうたうようになるのはその頃からであると考えられたが、その前に「沖縄島」があったのである。「沖縄島」が初発だったことが、「既刊詩集未収録作品」および「解題」から浮かび上がってきたのである。

「既刊詩集未収録作品」および「解題」から鮮明になったその二は、一九二五年までの作品と『思辨の苑』に収録されていく作品との間には、その詩法に大きな違いがあることである。二五年の作品二篇を見るかぎりでは、朔太郎風とでもいっていいほどに、萩原朔太郎の詩を彷彿とさせるものがあるが、二九年になると、どこから見ても貘の詩だと言えるものになっている。二五年から二九年までの四年間で貘は、まったく新しい地平を切り開いていたことがわかる。

その三には、「既刊詩集未収録詩篇」に収められた詩と、既刊詩集に収録されている詩との間に見られる問題がある。例えば、「既刊詩集未収録詩篇」にある「駅へ出る道」と『鮪に鰯』に収められている「疎開者」とは、同内容の出来事がうたわれているといっていいだろうが、『鮪に鰯』は、「疎開者」をとって、「駅へ出る道」を取らなかった。「解題」を見ると『鮪に鰯』に収録する予定であったか。しかし結果的には採用しなかったようだ」とあり、また「定稿に近いと思われる」としていた。詩語や語調の問題があることはいうまでもないが、両者に関していえば、そのような問題を越えて、さらに興味深い問題があるようにも思われるのである。

「駅へ出る道」は、「疎開者」を定稿にしていく際の推敲過程の草稿の一つではなかったかといったようなことである。貘が、一つの作品を書き上げていくのに、実に多くの草稿を残しているように、「駅へ出る道」は、「疎開者」の草稿の一つであったのが、何らかの理由で、別々のものになって残ってしまったのではないかといったような、残された草稿の多さから出てくる推敲過程をめぐる問題である。

同じく「解題」で、「『鮪に鰯』に収録する予定であったか。しかし結果的には採用しなかったようだ」とあって、「定稿に近いと思われる」とされているのに「吾家の歌」がある。「一九六二年二月〜一九六三年二月頃」に書かれたものだとされるが、ほぼ同内容の詩に『鮪に鰯』に収録されている「初夢」がある。「初夢」が発表されたのが「一九四九年一月」だとあって、その間ほぼ一三、四年、「七坪ほどの／家を建てる夢」が、「九坪になり十坪になって／いまでは十一坪の設計となったのだ」とあるように、「七坪」から「十一坪」へと夢が広がったことを「吾家の歌」はうたっていたが、それは詩集に取られることがなかった。

「初夢」から「吾家の歌」へ、「夢」は、明らかに変化していったことがわかるものである。両者は確かに、小さい家を建てたいという「夢」を語っているという点では同内容になるといってもいいだろうが、「生きてゐるうちには」という漠然とした思いから「ことしこそは」と決然とした思いへと変化しているのである。その間十数余年、貘の窮乏生活が相変わらずであったことを語って余りあるもので、それだけに、捨てがたいものである。それが詩集から洩れてしまったのは、どうしてなのだろうという、詩篇の取捨をめぐる問題である。

『新編』には、「解題」そして「既刊詩集未収録詩篇」が収録されたことで、そのように作品の比較を通して制作過程や選択基準等についての推測の楽しみも増えたが、別の細かい点では、中学校の校歌を作っていたといったことなどあって、新たな驚きを与えてもくれる。

これも、興味をわきたたせる一つだといっていえないことはないが、多分単純な手違いによるもので、「児童詩」の中にあった大切な一篇「バク」が「既刊詩集未収録詩篇」では落ちてしまっている。

松下の「解題」から鮮明になった点をあと一つだけ上げておきたい。

貘の詩の発表年が明確である分に限って見ていくと、一九三〇年、一九三二年、一九三三年、一九四四年、一九四五年、一九四六年には詩篇の発表が全く無いことがわかる。

一九四四年から一九四六年までの三年間、どうして一篇の詩も発表してないのだろうか。

一九四五年の八月以降一九四六年までについてもそうだが、四四年から四五年の初旬にかけて一篇の詩も見られないというのは不思議なことである。貘が四三年には「オオゾラノ　ハナ」や「アカイ　マルイ　シルシ」を『コドモノヒカリ』に発表していたということからして、いよいよ疑問は深くなる。何故なら、戦況が苛酷になっていくにつれ「戦争詩」が数多く見られるようになったばかりか、もてはやされるようになっていったことを思えば、貘にも、さらにあと何篇か「戦争詩」があって不思議ではないからである。

根本正義によれば「内務省の言論・出版に関する統制は、昭和十二年四月の言論取締り強化指示に始まる」(『読書教育と児童文学』)という。そして一三年の七月には内務省の「図書課が『コドモノクニ』等の編集者を招き、幼年読物等についての指導を実施した」といい、昭和一五年になると「内務省による左翼的出版物に対する弾圧は一層強化され」て、同年「十二月に設立された日本児童文化協会は、日本少国民文化協会に変更され、昭和十七年五月に正式に発足し、『皇国ノ道ニ則リ国民文化ノ基礎タル日本少国民文化ヲ確立シ以テ皇国国民ノ錬成ニ資スルヲ目的トス』という方針のもとに活動が開始された」という。そういうなかで、表現活動を続けていくとすれば、大政翼賛的な作品を生産しなければならないというところに追い込まれていかざるを得なかったということになろう。貘が、「日本少国民文化ヲ確立」することに積極的であったら、二篇に止まるはずはなかったであろうし、その後沈黙することもなかったのではないかと思われるのである。

一九四三年の二篇は、重い意味を持っていた。一九四六年になって多くの表現者が、四五年以前とは全く異なることを書くようになったことについては既に言い古されたことであるが、四六年の貘の沈黙は、二篇と関わりのあることによっていたと考えられないこともないのである。

一九四四年から一九四六年までの三年間の沈黙の前の三二年、三三年の二年間そして三〇年の沈黙は、どう考えればいいのだろうか。住所不定では、何も書けなかったはずだというのが可笑しいとすれば、他に理由を求めなければならないはずである。

貘には、そのように戦時期及び不況期と重なっての沈黙の時期があったことがわかるが、あと一つ、学習雑誌に発表した詩篇に関しても触れておけば、三五年、三六年、三九年、四〇年、四二年、四八年、四九年、五四年、六〇年、六一年と発表の見られない年があった。それは、ごく単純な統計でもっていえば、他の詩篇が数多く発表されていて、そのための結果だといえないこともない。「遅筆」を証するものとなっているとはいえる。しかし、それだけだったのだろうか。

「既刊詩集未収録詩篇」および「解題」は、そのように、実に多くの興味ある問題を引き出してくれるものとなっていた。

○

『新編』が『旧版』に比べて充実したものとなっている第三の点は、付録がついたことである。『新編』には『旧版』にはなかった、「山之口貘朗読ＣＤ」がついていた。貘の詩を堪能するのにこれ以上のものはないはずである。

貘の肉声を聞くことのできる至福を、『新編』は与えてもくれたのである。

本土「幻想」の結末

―「沖縄よどこへ行く」をめぐって

1「復帰」願望

一九六八年、夏、五〇年代に学生生活を送った者たちによって、五〇年代から六〇年代にかけての沖縄の情況をめぐる大切な討議がなされていた。[1]沖縄に生きる者たちが避けて通れなかった「復帰」問題を論じるなかで、アメリカの強権的な支配に対する敵意が「日本への接近という形で」現れたといった発言や「閉鎖された状態のなかでの暗中模索、それをとおしての遙かなる本土への幻想があった」という発言があり、それを受けて「そう、幻想ですね」と相づちを打つといった場面が見られた。

座談会では、また、そのような「幻想」応答がなされる前に、同窓の者が本土へ行くのを那覇港で見送った時のことが、「『理想の国』へ行くみたいな気負いのようなもの、憧憬のようなものが、行く者にも、見送る者にもあった」といったことが語られていた。

異民族支配下の人権も何もない「閉鎖された状態」が「本土への幻想」をかき立てたとされる

五〇年代初期、そのことをよく示すかのような詩が書かれていた。山之口貘の「沖縄よどこへ行く」である。

「沖縄よどこへ行く」は、一九六四年、貘の死後発刊された『鮪に鰯』に収録される。『鮪に鰯』に収録された「沖縄よどこへ行く」は、「蛇皮線の島／泡盛の島／／詩の島／踊りの島／唐手の島／／パパイヤにバナナに／九年母などの生る島／／蘇鉄や竜舌蘭や榕樹の島／仏桑花や梯梧の深紅の花々の／焰のように燃えさかる島／／いま　こうして郷愁に誘われるまま／途方に暮れては／また一行ずつ／この詩を綴るこのぼくを生んだ島／いまでは琉球とはその名ばかりのように／むかしの姿はひとつとしてとめるところもなく／島には島とおなじくらいの／舗装道路が這っているという／その舗装道路を歩いて／琉球よ／沖縄よ／こんどはどこへ行くというのだ」と、地上戦であらゆるものが吹き飛ばされてしまったばかりか、その後異民族の統治下で自治を奪われた生活を余儀なくされている沖縄への呼びかけに始まる一篇は、続けて、その帰属をめぐってかつて中国と日本とが争った歴史を概括し、「それからまもなく／廃藩置県のもとに／ついに琉球は生れかわり／その名を沖縄県と呼ばれながら／三府四十三県の一員として／日本の道をまっすぐに踏み出したのだ／ところで日本の道をまっすぐに行くのには／沖縄県の持って生れたところの／沖縄語によっては不便で歩けなかった／したがって日本語を勉強したり／あるいは機会あるごとに／日本語を生活してみるというふうにして／沖縄県は日本の道を歩いて来たのだ／おもえば廃藩置県この方／七十余年を歩いてきたので／おかげさまでぼくみたいなものまでも／生活の隅々まで日本語になり／めしを食うにも詩を書くにも泣いたり笑ったり怒ったりするにも／人生のすべてを日本語で生きて来たのだが／戦争なんてつまらぬことなど／日本の国はしたものだ／／それにしても／蛇皮線の島／泡盛の島／沖縄よ／傷はひどく深いときいているのだが／元気になって帰って来ることだ／蛇皮線を忘れずに／泡盛を忘れずに／日本語の」と、終わっていた。[2]

『鮪に鰯』に収録された、この七連八二行からなる長詩の最後は、「日本語の」で終わっていて、未完成の感じを与えるものとなっていたが、実は「日本語の」あとにあと一行あって、その部分が脱落していたのである。

貘は、一九六二年九月号『政界往来』に同題になるエッセーを発表していた。貘は、そこで「講和条約が結ばれたのは、昭和二十六年の九月であった。その直前であったが、僕は一篇の詩を書かずにはいられなかった。その詩は、敗戦後、日本の本土から切り離された沖縄におもいを馳せたもので、いわばぼくの望郷をうたったものである」と書き起こし、「沖縄よどこへ行く」を引いているのだが、そこには「日本語の」あとに「日本に帰って来ることなのだ」[3]とある。

「沖縄よどこへ行く」が書かれたのは、講和条約の締結される「直前」の一九五一年だった、ということからして、貘にも、一九六八年の座談会での発言に見られるような「本土への幻想」が共有されていたことは間違いない。

貘が、「沖縄よどこへ行く」に託したのは、いうまでもなく「復帰」への強い願望であった。貘が、積極的に琉球・沖縄を語るようになるのは、たぶん対日講和の問題が浮上し、条約が締結される一九五一年あたりからであった。それは、新聞、雑誌が、貘に琉球、沖縄についての寄稿を求めたことにもよるだろうが、「一九五一年の講和条約会議のころには、民族運動として全沖縄の日本復帰運動が表面化した。記録によると当時、三カ月に亙って署名運動が沖縄全島で行われ、選挙権者のうち七二%が署名し、また宮古島では、八八・五%が署名し、それぞれ講和会議直前に、ダレス大使と吉田首相宛てに送ったとのことである。思想観念や利益関係などを超えたものであることはいまさらぼくなどがいうまでもないことなのである。在京の沖縄人の間にも、日本復帰の熱は強烈で、署名運動が展開された」[3]といった情況が現出していて、貘も、そのような情況に後押しされるようにして、次々と沖縄について書くようになるのである。

五三年になると、貘は、映画「姫百合の塔」の上映に触れて「沖縄の日本帰属を願う立場から、できるだけ多くの人に見てもらいたい」[4]と訴え、避暑について問われたことから、その方法について沖縄では木陰に涼むといった想い出を語ったあと「一杯の泡盛、一本のがじまる、一本のでいごのためにも、一日も早く、琉球の日本への復帰を祈ってやまない次第でありますが、人間のことについて考えれば考えるほど、なおさら、一日も早く、復帰を祈らずにはいられないのであります」[5]、と訴え、五五年になると「沖縄の悩みはすべてが、本質的には日本への復帰によって解決されなければならないのだ」[6]と強い調子で断じていた。

貘は、そのように、復帰を訴える文章を繰り返し書いていくが、ただ書いて訴えたばかりではない。第三日曜日には、「沖縄舞踊を本土の人達に紹介し、鑑賞してもらうことによって、本土の人達の胸のなかに、少しでも沖縄への関心を呼び覚ますことが出来れば、祖国復帰の悲願のためにその一助にもなるのではあるまいかとおもった」[7]ことから、泡盛屋で踊りを披露するほどになる。『鮪に鰯』に収められた「沖縄よどこへ行く」の最後の行の脱落が、単純なミスであったことは、そのような文章からいよいよ明らかであり、貘が、「日本語の」あとの結びを空白にするはずはなかったのである。

「日本に帰ってくることなのだ」の脱落は、そのように単純なミスであったが、貘が「ぼくの望郷をうたったもの」だという「沖縄よどこへ行く」は、貘のなかにあった「本土への幻想」を見ていく上で、大切なテキストとなりえる一篇であった。

2　「郷愁」の色調

「沖縄よどこへ行く」は、沖縄の特性とされる文化や自然の植生を一つひとつ列挙し、[8]「郷愁」をさそうものとして懐かしんでいるが、その「郷愁」は、かつて次のように歌われていた。

港からはらばひのぼる夕暮をながめてゐる夜鳥ども
縁側に腰をおろしてゐて
軒端を見あげながら守宮《やもり》の鳴声に微笑する阿呆ども

空模様でも気づかつてゐるかのやうに
生活の遠景をながめる詩的な凡人ども

錘を吊したやうに静かに胡坐をかいてゐて
酒にぬれてはうすびかりする唇に見とれ合つてゐる家畜ども

僕は僕の生れ国を徘徊してゐたのか
身のまはりのうすぎたない郷愁を振りはらひながら
動物園の出口にさしかかつてゐる

「動物園」と題された一篇である。また「賑やかな生活である」では、次のように歌われていた。

誰も居なかつたので
ひもじい　と一声出してみたのである
その声のリズムが呼吸のやうにひびいておもしろいので
私はねころんで思ひ出し笑ひをしたのである
しかし私は

しんけんな自分を嘲つてしまふた私を気の毒になつたのである
私は大福屋の小僧を愛嬌でおだててやつて大福を食つたのである
たとひ私は
友達にふきげんな顔をされても、侮蔑をうけても私は　メシツブでさへあればそれを食べるごとに
市長や郵便局長でもかまはないから　長の字のある人達に私の満腹を報告したくなるのである
メシツブのことで賑やかな私の頭である
頭のむかふには　晴天だと言つてやりたいほど無茶に　曇天のやうな郷愁がある
あっちの方でも今頃は
痩せたり煙草を喫つたり咳をしたりして　父も忙しからうとおもふのである
妹だつてもう年頃だらう
をとこのことなど忙がしいおもひをしてゐるだらう
遠距離ながらも
お互さまにである
みんな賑やかな生活である

貘の第一詩集『思辨の苑』に見られる詩篇には、そのようなかたちで「郷愁」は表現されていた。

また「喰人種」には「郷愁」ではなく「旅愁」になっているが、「うすぐもる旅愁」といった表現

もみられる。

「動物園」は、『思辨の苑』の巻尾から数えて二番目に置かれたもので、もっとも早い時期に作られた一篇である。[9]

上京直前の貘には、沖縄が「動物園」のように見えていた。そのような沖縄は、思うだけでも嫌悪が先だつだけで、「郷愁」が「うすぎたない」ものになっていくのも当然だったといえようし、また上京後の不如意な生活を送っているなかでは「郷愁」も「曇天のやうな」ものになっていかざるをえなかったであろう。

貘のなかにあった「うすぎたない郷愁」や、「曇天のやうな郷愁」が、では、いつ頃から「沖縄よどこへ行く」に見られるような「郷愁」へと変わっていったのだろうか。

金子光晴は「貘さんのこと」[10]で「貘さんは僕が知ってからも、始終、故里の琉球の夢をみていた。琉球の海の青さを語るとき、琉球の怪談をきかせるとき、貘さんのことばは熱を帯び、貘さんの眼はかがやく」と、書いていた。金子はそこで、「昭和八年頃」外国から帰ってきて「なにかのかかわりで、南千住の国吉真善という琉球の人がやっている泡盛の会へ僕は出かけていった。そこではじめて若い琉球詩人の山之口貘と出会った」といい、その後、貘との交友がはじまったと書いていることからして、貘が、眼を輝かせて「故里」のことを語るようになるのは「昭和八年頃」からであったように思える。[11]

「昭和八年頃」と言えば、佐藤春夫が「山之口貘の詩稿に題す」を書いた年で、貘は、詩集を出す準備をしていた。それは、一九三八年に『思辨の苑』として刊行されるが、そこに収められた詩篇には、金子の言葉を鵜呑みにさせるようなものは何もないどころか、琉球、沖縄という言葉すら出てこない。

貘の第二詩集『山之口貘詩集』が刊行されたのは一九四〇年一二月。『山之口貘詩集』は、『思辨の苑』に収めた五九篇に、一二篇を加えて出されたもので、そこに始めて琉球、沖縄という言葉があらわれてくる。そして、「郷愁」の文字が出てくるのが二篇ある。五九篇中「郷愁」の文字の使用例は二篇しかなかった『思辨の苑』からすると、『山之口貘詩集』で新たに加わった一二篇の中二篇にその文字の使用例が見られるということは、沖縄への「郷愁」の色合いが変わりはじめていたことを思わせるが、しかしその一篇は「文明どもはいつのまに／生れかはりの出来る仕掛けの新肉体を発明したのであらうか／神は郷愁におびえて起きあがり／地球のうへに頬杖ついた」[12]というものであり、あとの一篇も「ばくと呼ばれては詩人になり／さぶろうと呼ばれては弟になつたりして／／旅はそこらに郷愁を脱ぎ棄てて／雪の斑点模様を身にまとひ／やがてもと来た道を揺られてゐた」[13]といったもので、直接、郷里・沖縄と関係して歌われたものではなかった。しかもそれは「おびえて」しまうものであったり、「脱ぎ棄てて」しまえるものとしてあった。

貘が、「郷愁」について『思辨の苑』や『山之口貘詩集』とは異なるかたちで表現するようになるのは、戦後になってからであったといっていい。そして「沖縄よどこへ行く」をはじめ、戦後のエッセーには「郷愁」が満ちあふれていく。

貘は「第三日曜日」で「敗戦と同時に、沖縄が、日本から切り離されたということは、戦前にもまして、在京の沖縄人の郷愁をかき立てないではおかないものがあるのだ」と書いていたように、「郷愁」は、貘だけにあったものではないが、貘には一段とその思いが強かったように見える。

自作の絵画を「解説」した「山原船」のなかで、貘は「時に、郷愁に襲われて、一度は沖縄へ帰ってみたいとおもいながら、今日まで、まだ果たせないのである。絵に対しても、時にまた、郷愁に襲われて、描きたくなるのであるが、絵の方が、帰省に先立って、ここにその一端を果たすことが出来たわけなのである」と書いていた。ことあるごとに「郷愁」で、貘の胸はいっぱいになっていたことがわかるのだが、「帰ってみたい」と思っていた沖縄の地に向かったのが一九五八年一〇月末。那覇の港では、旧友たちが「バクさんおいで」の幟をおしたてて、待っていた。[14]

その時のことを歌ったのが「弾を浴びた島」である。

島の土を踏んだとたんに
ガンジューイ[1]とあいさつしたところ
はいおかげさまで元気ですとか言って
島の人は日本語で来たのだ
郷愁はいさゝか戸惑いしてしまって
ウチナーグチマディン　ムル[2]

イクサニ　サッタルバスイ(3)と言うと
島の人は苦笑したのだが
沖縄語は上手ですねと来たのだ

カタカナ表記にはそれぞれ注記がなされていて（1）には「お元気か」、（2）には「沖縄方言までも　すべて」、（3）には「戦争で　やられたのか」とある。あふれんばかりの懐かしさを込めて発した「ウチナーグチ」に、返ってきたのは「日本語」であった。貘は、立ち往生する。

貘の「郷愁」の帰結が、これであった。

3 輝く「日本語」

貘を「戸惑い」させた「日本語」、その「日本語」という語句が、また「沖縄よどこへ行く」には目立つが、貘の詩に「日本語」は、最初、次のように現れていた。

その男は
戸をひらくやうな音を立てて笑ひながら
――ボクントコヘアソビニオイデヨ
と言ふのであつた

僕もまた考へ考へ
東京の言葉を拾ひあげるのであつた
――キミントコハドコナンダ

少し鼻にかかつたその発音が気に入つて
コマツチヤツタのチヤツタなど
拾ひのこしたやうなかんじにさへなつて
晴れ渡つた空を見あげながら
しばらくは輝やく言葉の街に佇ずんでゐた

「晴天」と題された一篇で、「東京の言葉」を聞いた高ぶる気持ちが歌われたものである。貘が、上京したのは、一九二二年、秋。しかし、翌二三年関東大震災で、帰郷。二五年再び上京。貘は、『思辨の苑』に収録された最初の詩「ものもらひの話」について、「上京当時につくったものである」[15]といい、当時のことを回想しているが、それを読むと、「上京当時」は、二度目のことを指していることがわかる。

「晴天」は、巻尾の「ものもらひの話」の次の次、三番目に置かれていることからして当然二度目の上京後に書かれているはずだが、その体験は、最初上京したときのものであったに違いない。貘は、上京して、「男」の「東京の言葉」を耳にし、反芻し、心弾む思いをするとともに、そこを「輝やく言葉の街」だと言挙げする。

「晴天」に見られる「東京の言葉」という言い方は、単に、東京で使われていた言葉を指していたのではない。外間守善は「明治以降になって入ってくる日本的共通語の受け止め方を沖縄側からみて」いくと、一八七九年から一八九七年頃までを「東京ノ言葉時代」、一八九七年頃から一九三五年頃までを「普通語時代」、一九三五年頃から一九五五年頃までを「標準語時代」、その後を「共通語時代」というように四区分できると言う。[16]「東京の言葉」というのは、沖縄が「日本語」への道を歩み出していった時代の「日本的共通語」をさす言い方だった。

外間の区分からすると、貘は「普通語時代」にいたわけだが、貘は「普通語」と言わず、「東京の言葉」という言い方をしていた。「東京の言葉」という言い方には、琉球処分以降の沖縄の人々がたどった言語の歴史と、貘自身が、一九二二年、初めての東京で聞いた、東京で使われている言葉とが重ねられていたといえるし、貘は、そのような言葉の行き交う場を「輝く言葉の街」と見たのである。

貘は、なぜ、そのように感じたのだろうか。

外間の論考を見ていくと、一九〇〇年、県立一中の自治組織である学友会は「校内ニテ、一切方言ヲ使用セザルコト」という規約を作って共通語普及に力を入れ、一九〇七年頃になると、学校教育のなかで方言札・罰札制度が登場し、厳しい手段を講じて言語教育を徹底していく。しかし、大正の初め頃には、共通語使用を奨励した当の学友会が、方言札・罰札制度の出現に抵抗し、「校内ですら、おおっぴらに方言が通用していた」という現象が見られるようになっていく。そして一九一七年になると、校内で方言が使われていることに業を煮やした「学校当局は、方言取締令を下し、再び罰札制度を強化」していくことになる。[17]「その方法として、横一寸に縦二寸位の木札を、罰札として渡し、一日一札で操行点二点引、という酷罰でのぞんだため、学業よりも操行点による落第者が続出」したといわれる。その操行点による落第者の一人に山之口貘がいた。

貘は、そのことについて「当時の中学には、『罰札』というのがあって、小さな木の札に墨書してあったが、普通語（ヤマトグチ）を励行させるために、沖縄語（ウチナーグチ）を罰したのである。生徒は、つとめて、ヤマトグチを使ったが、持って生まれたウチナーグチが、ふと、口をついて出ると、罰札である。／しかし、注意人物のぼくなどは、意識的にウチナーグチを使ったりして、左右のポケットに罰札を集め、それを便所のなかへ棄てたりした」[18]と回想していた。

貘の回想を疑う必要はないだろう。なぜなら、貘が抵抗したのは、方言札＝罰札制度に対してであって、「東京の言葉」＝「普通語」使用の推進、奨励に対してではなかったからである。

貘のこの回想と関わって、井谷泰彦は、「方言札の存在が誇り高き名門校の優等生たちのIdentityをいたく傷つけたことが見て取れる。この時、彼（貘）のIdentityはわざと方言札を引き受けるエネルギーとして発現した」といい、「『普通語時代』と言っても、この大正期と昭和に入ってからとでは沖縄人の自意識がかなり変化してくる。後になればなるほど、人々は琉球語や伝統的な沖縄文化を恥じるようになっていくのだが、山之口貘の姿には微塵もそのような要素はない。これは、彼の個性のようにも見えるがそうではない。彼等の世代は、まだ日本本土語への健全な反感を併せ持っていた」[19]と論じていた。

井谷が論じているように、貘を始めとする「彼等の世代」は、本当に「日本本土語への健全な反感」を持っていたのだろうか。彼等が持っていた「健全な反感」は、強制的な制度といえる方言札・罰札制度に対するものであって「日本本土語」に対してではなかったのではないか。その「反感」について、貘は「寄り合い所帯の島」で「罰札を一手に引き受けたり、まとめて便所に棄てたりしたぼくなどにしても、日本語の奨励に異議があったのではなくて、日本語を奨励するために方言を否定しそれを罰することに反感を抱かずにはいられなかったからなのである」と書いているのである。

「彼等の世代」はともかく、貘は「日本語の奨励に異議があったのではない」と述べているように、「日本本土語」に対しては、むしろ憧れの気持が強かった。少なくとも、「沖縄語によっては不便で歩けなかった」という思いが強くあった。そうでなければ、上京して「日本本土語」を耳にした時、その言葉が話されているというだけで、そこを「輝く言葉の街」などといった言い方はしなかったのではないか。

4 「習俗」の差異

上京した貘を驚かせたのは「言葉」だけではなかった。

産毛のやうな叢のなかの
蹲つてゐる男と女
べんちの上の男と女
あつちこつちが男と女
なんと
男と女の流行《はや》る季節であらう
友よ
僕らは、
きみはやつぱり男で
ぼくもあひにく男だ

「散歩スケッチ」と題された詩である。上京したばかりの貘が出会った東京風景を歌ったものであることは、その作品が四番目に置かれている事からわかる。昼日中から男女が一緒にいることに衝撃を受けた貘がそこにはいる。男女の自由な交際をうらやましいものとしてみている貘がいる。

一九〇一年五月二二日、夏目漱石は日記に「晩に池田氏とCommonに至る、男女の対、此所彼所にBenchに腰をかけたり、草原に坐したり、中には抱合ってkissしたり、妙な国なり」[20]と記していた。貘は、漱石の日記に近似した詩を残していたが、日本からイギリスに渡った一九〇一年の漱石と同様の思いをほぼ二〇年後の一九二二年、沖縄から日本へ渡った貘は体験したのでる。

貘が、「散歩スケッチ」のような作品を書いたのは、沖縄には恋愛の自由がなかったということであろう。貘は、「私の青年時代」のなかで、「遊ぶにも勉強するにも、男は男同士、女は女同士の習慣に従っていた時代なので」彼女の家にいっても、周囲の人たちに悟られないようにしたといい、「未だ男女別の時代であった大正の中期では、密会の機会をつくらないことには男女が共にあそぶことは気のひけることなのであった。世間の眼にふれない場所を探し求めて、そこでひそかに語り、あそぶのである」と書いていた。

青年男女が共に遊ぶことに関して、南島はわりに自由であったといわれ、その一例として「毛遊び」が挙げられる。「毛遊び」というのは、一種の歌垣・かがいで、農作業を終えた男女が、夜になって海辺や野原に集まって歌い遊び、それぞれに相手を探したといわれる習俗であるが、しかし、それも明治の中期になると、「風俗改良」ということで取り締まりの対象になっていったことが、次のような文章から窺える。

毛遊と称するものは田舎の若者間に行はるゝものにて彼等が村内若くは他村との交際は多く此場所にてす　是れ見るさへ忌まわしき蛮風にして田舎青年の精神を腐すものは是れより甚しきものなし　然れども個は今日既に其弊害を悟り各間切共矯風会又は風俗改良会杯の設けあれば此蛮風を撲滅するも益々近きにあるべし

太田朝敷が明治三四年「新沖縄の建設」と題して『琉球新報』に連載した随想に見られるものである。太田は、置県後の第一回の留学生の一人で、「新沖縄の建設」を発表する前の年、明治三三年には「女子教育と沖縄県」のなかで「沖縄今日の急務は何であるかと云へば、一から十まで他府県に似せる事であります。極端にいへば、クシャミする事まで他府県の通りにすると云ふ事でありますと」[21]といったよく知られた言葉を残しているように「風俗と言語とを改善すること、特に尤も急務たり」と呼号し続けた言論人の一人で、そのような「風俗」の撲滅、「言語」の改善の主張がやがて、「沖縄文化の総否定」という極端な現象をもたらすことになるのである。

太田らによって領導された「風俗」「言語」の「他府県」並みへが、いつしか「他府県・内地」を理想とする「本土への幻想」を生んだことは充分に考えられることである。模範とすべきすべてがそこにはあるという思いが若者たちに上京を促したにちがいないし、貘も、その一人であった。[22]

上京したばかりの貘には、そこが憧れていたのと寸分違わないかたちで実在しているように見えたのである。「輝く言葉の街」も「べんちの上の男と女」も、そのような思いから出てきたもので、それはまさに、五〇年代学生たちが抱いた「理想の国」のように思えたに違いない。

それだけに「弾を浴びた島」の「沖縄語」と「日本語」とのやりとりは痛々しいものとなっていた。

5　沖縄の風物たち

「沖縄よどこへ行く」には、「郷愁」「日本語」とともに、あと一つ、目を引く事象が歌われていた。沖縄の風物である。

「沖縄よどこへ行く」は、「蛇皮線の島／泡盛の島／／詩の島／踊りの島／唐手の島／／パパイヤにバナナに／九年母などの生る島／／蘇鉄や竜舌蘭や榕樹の島／仏桑花や梯梧の深紅の花々の／焔のように燃えさかる島」と、歌い出されていた。そして「それにしても／蛇皮線の島／泡盛の島／沖縄よ／傷はひどく深いときいているのだが／元気になって帰って来ることだ／蛇皮線を忘れずに／泡盛を忘れずに／日本語の／日本に帰って来ることだ」と結ばれていた。

山之口貘の詩は、対句、対語的であり、さらには同一語の反復といった特質が見られるが、「沖縄よどこへ行く」も、その特質のよく現れた一篇である。その特色をもっともよく発揮したのが「会話」で、それは次のように歌われていた。

本土「幻想」の結末

お国は？　と女が言つた
さて　僕の国はどこなんだか　とにかく僕は煙草に火をつけるんだが　刺青と蛇皮線などの連想を染めて　図案のやうな風俗をしてゐるあの僕の国か！
ずつとむかふ

ずつとむかふとは？　と女が言つた
それはずつとむかふ　日本列島の南端の一寸手前なんだが　頭上に豚をのせる女がゐるとか素足で歩くとかいふやうな　憂鬱な方角を習慣してゐるあの僕の国か！
南方

南方とは？　と女が言つた
南方は南方　濃藍の海に住んでゐるあの常夏の地帯　竜舌蘭と梯梧と阿旦とパパイヤなどの植物達が　白い季節を被つて寄り添ふてゐるんだが　あれは日本人ではないとか日本語は通じるかなどと談じ合ひながら　世間の既成概念達が寄留するあの僕の国か！
亜熱帯

アネツタイ！　と女は言つた

亜熱帯なんだが　僕の女よ　眼の前に見える亜熱帯が見えないのか！この僕のやうに　日本語の
通じる日本人が　即ち亜熱帯に生れた僕らなんだと僕はおもふんだが　酋長だの土人だの唐手
だの泡盛だのの同義語でも眺めるかのやうに　世間の偏見達が眺めるあの僕の国か！
赤道直下のあの近所

「会話」には、沖縄の習俗とともに沖縄の風物が歌い込まれていた。その風物は、「沖縄よどこへ行く」を彩るものとして、再度取り上げられていくが、前者と後者とでは、その取り上げ方に違いが見られた。前者は「既成観念」や「偏見」を生み出すものとして取り上げられていたが、後者では、それらは忘れてはならないものとして呼び起こされていた。それは、沖縄への向かい方に大きな変化が起こっていたことを示すものであった。

貘は「沖縄悲歌」のなかで「ぼくの知っている限りでは、現在の若い沖縄人に、劣等感らしいものを見かけたことはないが、ぼくらの先輩やぼくらの時代あたりまでは、沖縄人であることに劣等感を抱いたりするものも少くはなかった。ぼく自身の生活の上にも、劣等感が作用したことがあって、そこから発想した詩『会話』というのを書いたこともある」といい、続けて「その詩には、沖縄人としての、世間に対する抵抗の精神が、にじみ出ていたとぼくはおもっているが、そのあらわれ方が、消極的であることは、沖縄人としての性格的な半面を物語っているのかも知れない」と回想していた。

貘の言葉を借りると、「会話」と「沖縄よどこへ行く」に見られる同じような風物の取りあげ方の変化は、「消極的」なかたちから「積極的」なかたちへの変化であったといえよう。貘は、その風物たち、ことばたちに会いたくて「三十四年ぶり」に海を渡る。しかし、貘が見たものは、「どこにもあったはずのあの大喬木」[23]が無くなっていた風景であり、「沖縄語」が消えてしまっている沖縄であった。

東京に戻った貘は、「暫くすると、何だかぼんやりしている姿が目につくようになった」といい、「父のどこかで風船のように何かがわれたという風にも見えた」[24]という。五〇年代の学生たちが抱いた「遙かなる本土への幻想」は、復帰後、いよいよ無念の思いを強くさせていったが[25]、三十四年ぶりに帰省した貘は、「沖縄」が、貘自身が望んだ「日本語の」日本へと「帰る」ことに一途で「沖縄語」を話さなくなっていたばかりか、「全く別の沖縄みたいな姿」[26]になっていたことに戸惑う。貘の無念さが際だつが、それもまた「本土への幻想」のもたらした一つの帰結であったといっていいのではなかろうか。

注

1 伊礼孝・川満信一・中里友豪・真栄城啓介・嶺井政和「討論　沖縄にとって『本土』とは何か」吉原公一郎編著『沖縄　本土復帰の幻想』所収、三一書房、一九六八年一一月二五日。

2 『山之口貘全集　第一巻全詩集』（思潮社　一九七五年七月一九日）に収録された「沖縄よどこへ行く」も『鮪に鰯』版を踏襲している。

3 「ふるさとを思う」（『女学生の友』一九五五年一一月号）でも引いている。

4　「『ひめゆりの塔』と沖縄調」『内外タイムス』一九五三年一月二三日。
5　「がじまるの木陰」『おきなわ』二三号　一九五三年九月号。
6　「沖縄と日の丸」『日曜新聞』一九五五年九月号。
7　「第三日曜日」『新潮』一九五六年九月号。
8　沖縄の風物を列挙していくかたちは「不沈母艦沖縄」等にも見られる。
9　『思辨の苑』は「作品の配列を、巻尾から巻頭へと製作順にして置いた」と「後記」に記している。
10　金子光晴編『世界の詩60　山之口貘詩集』弥生書房、一九六八年八月三一日。同詩集に収録されている「沖縄よどこへ行く」は、「日本語の／日本に帰ってくることなのだ」となっている。
11　貘の「金子光晴　心の友」(『新潮』一九五五年一〇月号)によると、国吉真善のやっていた泡盛店で「琉球料理を味う会」(「泡盛の会」)があったのは「一九三二年六月二十八日の夜であった」という。それからすると「昭和八年頃」は、「昭和七年頃」ということになるが、「僕の半生記」には「金子光晴を知ったのは、昭和九年ごろであった」とあり、まちまちである。
12　「夢を見る神」
13　「上り列車」
14　「沖縄帰郷始末記」(『産経新聞』一九五九年二月二七日)で、貘はその時のことを「那覇の泊港に船が横づけになったとき、岸壁の群衆は大きな幟までおし立てて迎えてくれたものである。紺地に白で」『バクさんおいで』と大書されたもので、中学のころの旧友がすでに白髪の頭をして、その幟を両手でかかえているのである」と書いている。
15　「自作詩鑑賞」(『中学生のための現代詩鑑賞』宝文館　一九五一年七月)、「バランスを求めるために」(『現代詩入門』創元社　一九五七年二月)等で「ものもらひの話」についてふれた文章からも推測できるが、「ぼくの半生記」に「M子のことを断念して、二度目の上京をしたが、その時の詩に『ものもらひの話』がある」と書いていた。

16　外間守善「沖縄の言語教育史」『沖縄の言語史』（法政大学出版局　一九七一年一〇月三〇日）所収。

17　近藤健一郎は「近代沖縄における方言札の出現」（近藤健一郎編『方言札　ことばと身体』社会評論社　二〇〇八年八月八月一〇日）のなかで、外間の論に触れて、「昭和十四年に方言札が復活したとされる点は、それ以前においても継続的に方言札が存在しており、『復活』でないことがすでに明らかとなっている」としている。

18　「初恋のやり直し」（『東京新聞』一九五五年二月九日）、「方言のこと」（『高校コース』一九五七年三月号）、「寄り合い所帯の島」（『友愛』一九六二年八月号）等で、繰り返し書いている。

19　『沖縄の方言札　さまよえる沖縄の言葉をめぐる論考』（ボーダーインク、二〇〇六年五月一六日）。井谷は同書の「付論1　山之口貘と『方言札』」では「貘ら県立一中生徒の『方言札』制度への反抗は、自らの自然な『発語』を『悪』と規定されてしまうことへの、生理的（身体的）反抗であり、直感に基づく根源的なものであった」と書いていて、それについては、まったく同感である

20　『漱石全集　第十三巻　日記及断片』岩波書店、昭和四十一年十一月二十四日。

21　比屋根照夫　伊佐眞一編『太田朝敷全集　中巻』第一書房、一九九五年十一月十五日。

22　「僕の半生記」（『沖縄タイムス』一九五八年一一月二五日〜一二月一四日）に、貘は「東京へのあこがれは胸からあふれた」と書いていた。

23　「仏桑花と梯梧」『園芸随筆』一九六二年十月号。

24　山之口泉『父・山之口貘』思潮社、一九八五年八月一日。泉は、貘のそのような変化を必ずしも「沖縄の変わりようを目の当りに見たショック」によるとはしてない。

25　伊礼孝は、のちになって、一九六八年の座談会を踏まえ「いま思えば、『日本復帰』そのものが幻想であり、社会党、総評が反体制勢力から日本革命へと突き進む革命勢力になるであろうから、還るべき祖国があるとすると、そこしかないと自認したことも、まさに幻想であり、先見性の全くない錯誤であった」（いれいたかし遺稿『ちゃあすが沖縄（うちなあ）』Mugen　二〇一〇年六月）と書いている。

26　「チャンプルー」『食生活』一九五六年一〇月号。

II

大城立裕の章

小説「琉球処分」私感

1

琉球藩王尚泰の上京を扱った作品といえば、山里永吉の「那覇四町気質」がすぐに思い浮かぶ。一九三二年（昭和七年）三月、『琉球新報』紙上に発表されると同時に大正劇場で上演されたといわれる同作品は、尚泰の近侍をつとめた喜舎場朝賢の『琉球見聞録』に「伊江三司官及び与那原幸地喜屋武内間等は藩王の答書を呈出の為め那覇内務省出張所に赴く各村士人之を聞き相報告し頃刻の間馳せ集り直に那覇に追ふ那覇泊久米村の士人等も萃り加へ数百人久米村南街に於て伊江等を欄へ留む街道に充満し騒擾喧鬨す三司官等百方弁解説諭するも更に聞かず且一同出張所に参り嘆願を為すべしと云へど其勢抗すべからざるを以て首里城に引き帰る」と記された事件に想を得たもので、「藩王の答書」（作品では「朝命遵奉」）を持って首里を出た使者たちの行く手を阻止せんとして立ち上がった那覇の臣下たちの直情径行を描き、尚泰のセリフ「戦世も済まち、弥勒世もやがて、嘆くなよ臣下命ど宝」で幕になる四幕五場の戯曲は、当時大きな反響を呼んだと言われる。

山里が、琉球王国の解体期に特別な関心を寄せていたことは、一九三〇年（昭和五年）三月『琉球新報』に「首里城明渡し」、続けて三一年（昭和六年）正月『沖縄朝日新聞』に「宜湾朝保の死」を発表していたことからも明らかである。その最初の作品「首里城明渡し」は、一八七五年三月より一八七九年までの時代を背景に、同時代を生きる者たちの対立や親子の確執、そして尚泰の居城退去までを書いたもので、これまた『琉球見聞録』の「荷造りして夫卒に荷擔せしめ紳徒士輩之を護衛し中城殿及按司親方等の大家に運搬し朝より晩に至るまで絡繹相絶えず喧囂雑遝し満城騒擾を極む城門を出るに迨んでは守衛の巡査等一々封緘を開き鍵鎖を解き看査す封鎖を解くこと稍ゝ怠慢するときは叱咤呵責し即ち所持の棒剣を以て之を打撃し内宮の装奩具其他秘密の器具破壊せられたるもの尠からず」に想を得ていたし、「国を売った国賊」との非難をあびて悶死する家長と迫害されるその家族を描いた「宜湾朝保の死」もまた『琉球見聞録』の「八月六日（一八七六――引用者注）旧三司官宜野湾親方卒す宜野湾は唐名向有恒実名朝保和漢の学に渉り才識人に超え隠居在家し和歌を詠じて楽と為す藩庁衆官の政府に対する僉議を聞く毎に長嘆息し或は流涕して曰く国家の重任に当る者は唯社稷を安ずるを是務めて他を顧るべからず今衆官の議専ら己れの門閥を保つを先にす噫と已にして党人等沸騰譖誣し陥害せんとすること幾回なるを知らず自危不安憂悶に堪へず遂に病で起たざるに至る」と記された箇所に触発されて書かれていた。

一九三〇年から三一年にかけて書かれたこれらの作品は「琉球処分」三部作といっていいものであるが、山里は、その頃を回想して「東京で五年間も画学生生活をして帰って来ると、まるで絵は描こうとせず、脚本を書いて上演し、それが大当たりにあたるものだから、自分でも不思議だったが、世間でも驚いたらしい」と書いていた。東京から帰ってきた山里が、学んできた画学を活かそうとせず、戯曲を書いたのはそれほど驚くに値しないが、他でもなく彼は何故、王国解体期に的を絞った作品をたて続けに書いたのだろうか。そして書いた当人が驚くほどにそれらの作品が「大当たり」をしたのはどうしてなのだろうか。

一九三〇年代の歴史「意識」を考察した成田龍一は、その時代について「明治維新から六〇年が経ち、歴史学のみならず小説の分野でも、さまざまな明治維新像が提供される時期であった」といい、続けてこれまでは「王政復古という近代の出発点を寿ぐのみだった従来のあり方とは異なり、国民国家日本が達成される過程があらためて問い直されたのである。近代日本という国民国家の歴史的な再検討が開始されたといってもよい」と書いていた。成田の考察に照らし合わせて見れば、山里のそれは、畢竟時代に即したものであったといえないこともない。何故なら、山里の作品はもう一つの明治維新像を差し出したといえるものであったし、山里は、成田の言葉を借りていえば、「近代沖縄という国民国家の歴史的な再検討」を開始しようとしたといえるからである。

山里の作品が大当たりをとったのは、しかし「歴史の再検討」といった問題意識が読者や観客を奮い立たせたことによっていたとはいえないだろう。観客は多分、「首里城明渡し」の尚泰のセリフ「たゞ、民百姓が幸福になる事だつたら、余はどんな事でもこらえやう」に拍手し、「宜湾朝保の死」の小禄のセリフ「琉球はこれからどうなつて行くだらう」に不安を覚え、「那覇四町気質」

の松田のセリフ「総てが亡国の兆、思へば気の毒の至りぢや」に複雑な思いを余儀なくされるといったかたちで、作品の展開に一喜一憂しただけにすぎないといえるが、そのことはまた、それぞれの舞台が時代と全く無関係ではなかったことを証してもいよう。

一九三〇年前後の沖縄は、「瀕死」を冠せられるほどの状態に陥っていた。三〇年五月七日第五八議会に提出された「沖縄県産業助成費継続支出ニ関スル建議」（漢那憲和・伊礼肇・仲井間宗一・当間嗣合提出）は、一九二六年（昭和元年）から五カ年間続いた産業振興助成費が一九三〇年（昭和五年）度には予定年限に達することになると述べた後、「然ルニ同県下ノ経済状態ヲ見ルニ、民力ノ疲弊負担ノ過重、加フルニ連年多額ノ入超ヲ続ケ、経済回復ノ前途頗ル遼遠ナルヲ以テ、政府ハ昭和六年以降ニ亘テ産業助成費ノ支出ヲ継続シ、所期ノ目的ヲ達セラレンコトヲ望ム」と述べていたし、さらに一九三二年六月八日、伊礼肇が提出した「沖縄県振興計画ニ関スル質問趣意書」には、沖縄は、地理的歴史的な関係によって国からも顧みられることがなく、よって交通運輸機関も発達せず、産業も幼稚で、その生産高も全国平均の三分の一しかなく、衛生状態も悪く、各種疾患が流行し、県民の被害が甚だしく目も当てられない惨状を呈していると述べた後で、「夫レ斯クノ如クニシテ沖縄県民ノ生活様式ハ他府県人ノ想像ダニ及バザル状態デアリマス。衣食住共其貧弱ナル程度ハ各種ノ疾患ト相俟ツテ県民ノ栄養不良ヲ来タシ、其ノ体格ニ著敷き影響ヲ及ボシツツアリマス。県民ノ体格ニ付テ見ルニ全国平均ニ対シ身長ニ於テ一寸五分体重ニ於テ一貫目ノ低下ヲ示シツツアルハ誠ニ憂ウベキ事象デアリマシテ、実ニ社会問題・人道問題デアリマス。一度沖縄ノ土地ヲ踏ム者ニシテ此ノ蘇鉄地獄ノ現象ニ同情シナイ者ハナイト申シテモ過言デハアリマセヌ。／沖縄ノ疲弊困憊ハ斯ノ如ク言語ニ絶シテ居ルノデアリマス。而モ其ノ由ツテ来ル所極メテ遠ク、近事一般ノ農村漁村ノ疲弊トハ其ノ趣ヲ異ニシテ居ルノミナラズ、其ノ深刻サニ於テ格段ノ差違ガアルノデアリマス。沖縄ノ根本的振興計画ヲ樹立シ其ノ根本的救済策ヲ講ズル実ニ刻下ノ急務ナリト信ズルノデアリマス」と続けていた。

一九二九年（昭和四年）アメリカに端を発した恐慌が、日本を巻き込んでいったのは周知の通りであり、その端的な現れをした地に沖縄もあった。「建議」や「趣意書」はそのことをよく現しているが、山里の作品が大当たりをとった一因は、この言語に絶する疲弊困憊の生み出した社会不安が、王国解体時の動乱と重なって見られたことによっていたはずである。それだけではない。そこにはあと一つ、沖縄の歴史に刻印された記憶と関わりのある問題が勃発していたといった事態があった。満州での変事である。

満州事変は、一九三一年（昭和六年）九月一八日、関東軍による奉天郊外柳条湖の満鉄線路爆破によって始まったが、満州における変事は、一九二八年（昭和三年）六月四日の張作霖爆殺事件から多くの人々の関心を引くものとなっていたであろう。とりわけそれは沖縄の人々に日清戦争時の人心の動揺を想起させたのではなかろうか。そしてそれが、さらに王国解体時の所属を巡って引き起こされた中琉関係を想起させたとして何の不思議もない。山里は「廃藩当時の琉球の人心」のなかで「廃藩当時の琉球の反日感情が、ぜんじ冷静になっていったのは、教育の力と日清戦争における日本の戦勝の結果であった。事実、日清戦争で日本が敗れていたら琉球の帰属は当然、日本から切り離されていた筈である。琉球人の多くはそれを願っていたし、反対に日本が勝つことを願っていた者は、ほんのわずかな知識階級だけにすぎなかった。したがって、日本の勝利を喜んだ者は、県庁の役人と、学生と、一部それらの開化党だけにすぎず、一般の住民は事実支那の黄色い軍艦の救援を心から信じて疑わなかったのである。その夢は日清戦争以後までも、義村按司を中心とする一部の人たちの間に根強く続いていたもので、山の城一という鹿児島県出身の那覇小学校長が、李鴻章の密使と偽り、琉球を救援するという密書を偽造して、義村按司から運動資金として莫大な金を搾取した詐欺事件がおこったのもその後のことである」と書いていたように、中国から今にも救援が来る、という思いは、何も王国解体期にだけあったのではなく、日清戦争期にもあったように、状況が緊迫すると、すぐに大きく浮かび上がってくるものだったのである。

経済亡国の好見本とされた時期の沖縄で、王国解体期の舞台が受けたのは、叶えられなかったとはいえ、動乱期には常に呼び興された中国が、大きな関心事として時代の前面に登場したということもあったのではなかろうか。

2

一九三〇年代初頭、沖縄の文壇・劇界は、王国解体期を描いた一連の作品に湧いた。それは窮乏する沖縄と、中国との関係の悪化といった状勢のなかで「沖縄はどうなっていくのだろう」という思いが多くの県民の心を領し始めていたことによって起こった事態であるといってよかったが、それからほぼ三〇年たった一九五〇年末、同じく王国解体期を取り扱った作品が新聞の紙面を飾ることになる。「小説　琉球処分」の登場である。

『琉球新報』に「小説　琉球処分」の連載が始まったのは一九五九年九月五日。九月四日同紙は、葦間れつの「不連続線」連載終了にともなう「次の朝刊小説」として社告を出しているが、そこで九月五日から「小説　琉球処分」の連載が始まること、作者は大城立裕であると述べたあとで、「大城立裕氏はすでにご承知のように沖縄文壇で活躍している若手作家であり、その作品は中央でも『棒兵隊』などの短編が認められ、沖縄の最も有望な作家の一人といわれております。大城氏は日本の夜明け明治維新より十余年を経てはじめて琉球の廃藩置県前後に想を求め、琉球の王朝政治の崩壊と新しい文明開化の時代の動きを鋭く描き、新境地を開くべくハリきってこの小説を執筆し、本誌に二年ぶりの登場です」と、作者と作品についての紹介をしていた。

大城の「朝刊小説」執筆は、「本誌に二年ぶり」だと紹介されているように、彼にはすでに新聞連載小説を手がけた経験があった。その一つが、一九五五年一〇月一三日から五六年三月二六日にかけて連載した「白い季節」（一六二回）である。表題を山之口貘の「会話」から取ったこの作品は、「かりそめの繁栄を、コザを舞台として風俗絵巻と見まごうかたちで描きだした」（鹿野政直「異化・同化・自立―大城立裕の文学と思想」『戦後沖縄の思想像』所収、一九八七年）とされるものだが、大城の新聞連載小説は、「白い季節」に始まったわけではない。「性の〝不始末〟や恋愛を中心に、若い世代の生態を描いた作品」で、「風俗小説ふうの手法のうちに、〝因習〟に風穴をあける市民読本の趣をもっている」（鹿野、前掲書）作品だとされる「流れる銀河」を一九五三年六月二四日から一〇月四日にかけて一〇一回、『沖縄タイムス』に連載していた。（その前にも「馬車物語」と題した作品を『沖縄ヘラルド』（一九五一年）に連載していると『光源を求めて―戦後50年と私―』（一九九七年）等の回想記に書いてあるのが見られるが、同紙の揃いが見当たらないため未見、連載月日・回数等不明）。

一九四八年には『沖縄タイムス』、次いで一九五一年には『琉球新報』（『うるま新報』改題）が発刊されるが、両紙ともに五一年から連載小説の掲載を始めていく。それを年表風に整理していくと次のようになる

作者名	作品名	掲載年、期間	回数・刊	掲載紙
山里永吉	那覇は蒼空	51年7～9月	60	沖縄タイムス
石野径一郎	守礼の国	51年9～12月	102	沖縄タイムス
山里永吉	郷愁	51年11～52年2月	100?	琉球新報
新垣美登子	未亡人	52年1～4月	103	沖縄タイムス
島袋盛敏	昼間夫婦	52年3～4月	29	琉球新報
山里永吉	塵境	52年4～7月	110	琉球新報
泊乃男	水脈	52年4～9月	140	沖縄タイムス
田幸正平	宜野湾王子譚	52年8～10月	71	琉球新報
伊波南哲	夏雲	52年9～53年1月	118	沖縄タイムス

宮里静湖	獣人	52年10〜53年1月	79	琉球新報
新垣美登子	三つのもの	53年1〜6月	160	沖縄タイムス
山里永吉	ひと美しき	53年2〜6月	116	琉球新報
泊之男	海の水は青い	53年6〜9月	90	琉球新報
大城立裕	流れる銀河	53年6〜10月	101	沖縄タイムス
渡久地春子	人生の街角	53年9〜12月	100	琉球新報
春尚之介	東北季節風	53年10〜54年2月	105	沖縄タイムス
冬山晃	和やかな満潮	54年1〜4月	84	琉球新報
宮城聰	東京の沖縄	54年2〜7月	170	沖縄タイムス
嘉陽安男	新説阿麻和利	54年5〜55年2月	269・夕刊	沖縄タイムス
中城章太	雲はつかめない	54年6〜55年3月	234	琉球新報
新垣美登子	黄色い百合	54年8〜55年8月	370	沖縄タイムス
高之江晃	帰る日	55年1〜7月	167	琉球新報
渡久地春子	春ふたゝび	55年2〜10月	212・夕刊	沖縄タイムス
伊計美也	愛情に罪なし	55年4〜10月	190	琉球新報
石川文一	南海の渦	55年8〜56年1月	133	沖縄タイムス
嘉陽安男	うず更紗	55年7〜56年5月	290・夕刊	琉球新報
大城立裕	白い季節	55年10〜56年3月	162	琉球新報
宮里静湖	青い眼・黒い眼	55年10〜56年4月	180	沖縄タイムス
石川文一	大動乱	56年1〜12月	353	沖縄タイムス
新垣美登子	女の明暗	56年3〜10月	213	琉球新報

大田良博	珊瑚礁に風光る	56年4〜57年1月	247・夕刊	沖縄タイムス
森英夫	夢いつわらず	56年5〜57年3月	296・夕刊	琉球新報
船越義彰	みどりの紋章	56年11〜57年5月	185	琉球新報
葦間れつ	二重潮	57年1〜11月	313・夕刊	沖縄タイムス
宮城聰	故郷は地球	57年1〜58年11月	420?	沖縄タイムス
嘉陽安男	異本・運玉義留	57年3〜58年1月	300・夕刊	琉球新報
石川文一	怪盗伝	57年2〜58年2月	350	沖縄タイムス
徳田安周	南島太平記	57年5〜12月	215	琉球新報
平みさお	秋扇	57年12〜58年9月	262	琉球新報
田幸正平	琉球鼓	58年1〜9月	230・夕刊	琉球新報
葦間れつ	和冠船	58年2〜11月	252	沖縄タイムス
船越義彰	青い珊瑚樹	58年6〜59年2月	241	沖縄タイムス
石川文一	八汐路の為朝	58年9〜59年8月	341	琉球新報
葦間れつ	不連続線	58年9〜59年9月	332	琉球新報
石川文一	北山の秘宝	58年11〜60年3月	490	沖縄タイムス
石野径一郎	生きている罠	58年12〜59年10月	324	沖縄タイムス
嘉陽安男	台風0号	59年3〜60年1月	301・夕刊	沖縄タイムス
船越義彰	花涛	59年10〜60年5月	213	沖縄タイムス
大城立裕	小説・琉球処分	59年9〜60年10月	402	琉球新報

右の一覧からわかる通り一九五〇年代の沖縄の小説界は、新聞連載小説といったかたちで山里永吉、伊波南哲、石川文一、新垣美登子、宮城聰、石野径一郎等戦前活躍した作家たちと戦後登場

した大城立裕、嘉陽安男、船越義彰、葦間れつ等新人たちとの活躍によって担われたといっていいが、大城は、その作品が中央でも紹介されるといった実力のある新人として注目されていた。

大城が、戦後真っ先に新聞連載小説を書いた山里永吉と知り合ったのは一九五〇年の初め頃であったという。大城は、その出会いについて次のように述べている。

文学を本腰いれて勉強しようとした、一九五〇年のはじめごろ、山里永吉さんと知り合った。戦前からの作家である。もともとエンターテインメントの作家であるが、沖縄の歴史と文化にくわしく、歴史小説が多い。その山里さんが初対面のときおっしゃった。

「沖縄で文学をやろうとしたら、どうしても歴史をやるようになるよ」

その予言通りに、私もなった。沖縄人の宿命であるらしい。そしてそれは私にとって、文学のためだけでなく、たまたま異民族支配を抜け出ようとする政治の季節を考える上で、役に立つことになった。

『光源を求めて— 戦後50年と私—』(一九九七年)に見られる回想である。

一九一一年(明治四四年)、日清戦争時に起こったといわれる「山の城一」事件をモデルにして頑固党の落剥ぶりを描いた作品「九年母」で、初めて中央文壇で脚光を浴びた作家山城正忠の死後、沖縄の文壇の大御所的存在であったといっていい山里永吉の言葉が、作家志望の大城にある種の啓示として聞こえたということはあろう。山城が、日清戦争時を取り上げた作品で脚光を浴び、山里自身が王国解体期を書いて大当たりをとったことからして、彼の言葉が、必ずしも根拠のないことではないことが分かるが、大城は、山里の言葉を「予言」だったといい、「沖縄人の宿命」を言い当てたものであるとまでいう。大城が、歴史小説家になったということではないことからすると、山里の言葉は、別の意味を含むものとして受け取る必要があるだろうが、大城が、歴史に並々ならぬ関心を持ち始めていたことは間違いないであろう。そしてそれは、「琉球処分」を書くことによっていよいよ強くなったことも間違いないはずである。

大城は、初対面以前から山里が「歴史と文化にくわしく、歴史小説が多い」ことを知っていたであろうが、いつ山里の「琉球処分」三部作を読んだのであろうか。大城が、山里の「一連の廃藩史劇」（「一向宗法難記」「首里城明渡し」「那覇四町気質」）に触れて、それらが「世間の耳目をおどろかし」「その大入りぶりは今日なお語りぐさになっている」点について、その理由を三点「一、マンネリズムに堕した演劇に、骨格を持った脚本と演出をもってあたった」「二、廃藩ものとして、大正中期にあった状況と同じ理由で――つまり、現代になお影をおとしている歴史をふりかえるという方法で、この時代の現代人をとらえた」「三、史劇としてたんなる事件の再現でなく、作者の史観があらわれている」をあげ、そのあとで山里の「史観」について「山里永吉の史観は、いわばペシミズムである。琉球処分から近代化へかけての歴史をペシミスティックにとらえ、しかもこれを「時勢の流れだ」（台詞の一つ）とする史観を、戦争体制＝挙国一致体制＝日本ナショナリズムへの融合前夜になお沖縄土着に固執する演劇観客が支持したことになる」と書いたのは、一九七五年（「第一部　総説 ― 文化史概観」『沖縄県史5文化1』第五巻各論編4収集）である。山里の史観をペシミズムだとするこの論述は、言うまでもなく大城自身が「小説　琉球処分」を書き終えたあとのものであるが、では、大城はどう「琉球処分」に対しようとしたのだろうか。

3

「琉球処分」の連載を始めるのに、大城は、

こんどの題材は、新聞社の注文によるものだが、私としてもぜひ書いてみたいとおもっていたので、ちょうどよかった。

ところで私は、廃藩置県という歴史的事件に、政治史的な面より精神史的な面で魅力を感じる。当時のひとたちが、どんなことを考えながら、あの大動乱を生きぬいたかということだ。資料をあさっていると、悲劇を感じたり喜劇を感じたりする。ときにはどっちかわからなくなる。沖縄人の民族性とか今日の問題とかをあわせ考えるからそうなるのだろう。大きなテーマだから、できるだけ史実を重んじたい。もちろん、おもしろく読んでもらうためにゆるされる範囲で創作を加えるわけだがそのへんのかねあいが作者としてひと苦労でもあり、たのしみでもある。

「琉球処分」ということばは、事件の呼び名でもあるが、当時の立役者松田道之にこれを題名と

した高名な著書があるので、これに「小説」と冠して、私の題名とした。題名だけはわれながらうまくできたつもりであるが、さて中味はどうなるか、心配になってきた。なにしろ、荷が大きすぎる。

と、書いている。

大城は、そこで「史実を重んじたい」といい、「ゆるされる範囲で創作を加える」としていた。そのことを言い換えれば、作品を書いていく上で、しっかりとした拠るべき史書があるということにほかならない。史書は、他でもなく大城自身が「当時の立役者松田道之にこれを題名とした高名な著書がある」と書いているところの『琉球処分』である。

「小説　琉球処分」の新聞連載第一回は「明治五年五月――／浦添間切沢岻から内間の方角へ向けて、三人の旅の男があるいていた」と始まる。それは『琉球処分』の巻頭を飾る伊地知貞馨記になる「琉球処分起原」に見られる奈良原幸五郎と伊地知貞馨の二人が「県命」を受けて「明治五年正月五日鹿児島ヲ発シ同十五日琉球那覇江へ着ス」とあるのを受けていた。また連載第二回から第三回にかけて見られる「このむこうに比屋定山という丘があります。そこで、たったいま、色の白い若い神様が、威儀をただして、北のほうへ両手をついているのを、こどもたちがみておどろいて叫びましたら、神様はしずかにそっちをみてから、ゆっくりと、近くにある井戸にきえたそうです」という場面は、『琉球見聞録』「巻之一」開巻の「明治五年壬申（清国同治十一）（尚泰二十五）／三月島尻郡真和志間切安謝村比屋定山に神人出現す比屋定山は銘刈御殿の西南三四町許にあり此日細雨陰晴夕陽西に傾く神人二十余歳可顔色白皙未だ鬚髭あらず紅袍玄冠容貌甚だ端凝平蕪に跪坐北面し両手を地上に據り恰も北辰に礼するものの如く」から引いてきたものである。作品は、処分する側によって書かれた記録だけでなく処分される側にいた者によって書かれた記録をも参照していたことが書き出しの一、二回を見ただけでわかるように、両者を織りなし、より客観的な立場に立って「歴史」を見据えていこうとする姿勢を鮮明にしていた。

大城は、連載途中の九一回目、二〇〇回目そして三一〇回目に都合三回「筆のみちくさ」と題した章を設けている。九一回目のそれは「お前の小説は、どれが主人公か」という問いがあったとして、それに答えるかたちで書かれたものである。大城は、読者からそのような質問が出て来たのは、「人物がやたらに出てきて、だいたい同じ比重であつかわれているからであろう」として、「こった言いかたをすれば、全員が主人公である。みんなが大きな時代の流れをおよいでいくさま、あるいは眼にみえないところでかれらを動かしている何者か――それが主人公だといってもよい」といい、続けて「が、もっと常識なみにいってみれば、与那原親方とその息子良朝が主人公になる、というのが作者のはじめからのプランである」と書いていた。大城はそこで「小説　琉球処分」は、与那原親子を軸にして展開するであろうと述べるとともに、作者の関心は「若いひとたちが現実にどう対決したかということ」にあると手の内をあかしていた。

一回目の「筆のみちくさ」は、そのように「主人公」はという読者の問いに答えるとともに、執筆意図を語り、登場人物たちのそれぞれについて触れ、沖縄の英知が「日本の方針や時代の推移に、どれだけの洞察をもっていたか」について想像力を巡らしてみたいと小説への抱負を述べていた。二回目の「筆のみちくさ」では、「もっと当時の庶民の動きをいれてほしい」という読者からの要望に、それはもっともなことであるとした上で、「最下層の民衆は、最後までそれほどさわいでいない。これは当時の政治、社会の構造からうなずけることである。問題は下層士族である。この小説のこれまでのところでは、上層部だけがあれやこれやとさわいでいて、旧来の歴史小説に加えるところがない、といわれるのだが、下層士族がさわいだのも、松田道之が着琉したあと、正確にいえば、昭和八年七月十日以降である」といい、「この小説の現段階は、喜舎場翁の著書百五十ページ中、やっと十三ページまでしかとどいてない。大きな民族ドラマは、明治八年から十二年まで（あるいはそれ以後までつづくが、この小説ではいちおう十二年まで）である」と、作品はまだ始まったばかりだとしていた。そして、「沖縄の廃藩置県が本土より八年もおくれたのは差別待遇によるものだ、という考えかたは俗説にすぎないらしい。／日本政府はすぐにも置県したかったが、過激な政変による動乱をおそれたのである。差別待遇とか蔑視とかは、複雑な意識の問題であるので、できればそれにもふれてみたいとおもう」と、ここでも新たな抱負を語っていた。

「筆のみちくさ」三回目では、歴史小説の困難さについて触れていた。松田道之が最初沖縄に足を踏み入れたのが一八七五年（明治八年）七月一〇日。沖縄を離れたのが九月一一日。その二カ月間のことに百回も費やしたのは、松田対首里評定所の「堂々めぐりの議論のくりかえし」をいかに「リアリティー」のあるものにするかということのためであったという。そして大城は、三司官をめぐる評の「蒙昧」と「手」について、それぞれが「一半の真実をもつ」といい、処分資料に触れて「終始動かなかったものが日本政府の大方針だけであった」と断言、「琉球にとって歴史の歯車はすでに充分かみあっている。それを自覚しなかった大部分のひとたちの言動をとおして、これからその跡を明治十二年の絶頂までをたどっていくことになる」と予告していた。

「小説　琉球処分」は、「筆のみちくさ」三回目に見られた予告通りにいかず連載四〇二回を迎えた時点で、「もう午前―明治十二年三月十一日、首里城明け渡しの前夜ふかく廻った」で終わる。大城は「第一部おわり」と書き、付記として次のように書いていた。

一年あまりのご愛読を感謝します。作者のはじめの予定ではこのあと首里城明け渡しをへてそのあとの事務引き継ぎ拒否、国王上京阻止のさわぎ、さらに清国への陳情団の派遣、それに亀川盛棟が故郷をのがれるような気もちでいって、彼地で同士討ちにあうまでを一気に書きあげるつもりでしたが、新聞社の都合で、いちおうこれで筆をとめます。題材の性質と筆のいたらなさとで、多くの読者をうることはできなかったとおもいますが、ごく少数の熱心な読者には、かつてない激励をいただきました。そのお志にこたえるためにも、いつかまた、どのようなかたちでか、かならず完結して読んでいただきたい、というのが、いまの作者ののぞみです。

新聞連載を、所期の計画通り続けることができなかったこと、いつかそれを成し遂げたいと考えていることを「付記」として書かねばならなかった大城が、それを完成させ、刊行したのが一九六八年一月、連載からほぼ十年たっていた。以後七二年四月には新装版、九一年四月にはファラオ原点叢書4、九五年三月には文庫版へといったかたちで何度か版を代えて出版され、今回の全集（『大城立裕全集 全13巻 第1巻 小説Ⅰ』）への収録となる。

「小説　琉球処分」は、初版から新装版そしてその以後の版へはともかく、新聞連載稿と初版とでは大きな違いが見られる。それは、後者が「付記」でこのあと「一気に書きあげるつもり」でいたという事項が揃って書き上げられた完成稿になっているといったことだけでなく、「第一部」もじつに多くの箇所で大幅な改稿がなされていた。大城の諸作品が初出稿と決定稿とでは大きく異なるのはごく普通のことだといっていいが、「小説　琉球処分」の場合はとりわけそれが目立つものとなっている。それは、まず歴史叙述の正確さを期すといった当然のことに始まり、「福崎」と呼び捨てにされていたのが「福崎君」に改められると言った点にまで及んでいるが、何よりも目立つのは、多くの削除である。それは大城に、「琉球処分」の本筋がより鮮明に見えてきたことのあらわれであるといっていいだろう。

「琉球処分」の構図は、大枠でいえば、松田対首里評定所役人の応対、有体にいえば「命令」に対するに「嘆願」といった応対の形になる。「第六十四号松田内務大丞第一回奉使琉球復命書」は、「条理追ヒ大義ヲ責メ或ハ寛ニ出テ或ハ猛ニ亘リ反復弁論数十回ニ及フト雖トモ論屈スルハ即チ黙シ口ヲ発ケハ則復前議ヲ主張シ遂ニ条理ニ基カス於是臣道之ハ奉命ノ権内ヲ以テ其嘆願不条理ナリトシテ聴許セス命令速ニ遵奉スヘキ旨ヲ命シタリ爾後猶ホ藩議紛紜其実ハ既ニ遵奉セサルニ決スト雖トモ頗ル朝譴ヲ恐テ辞ヲ嘆願ニ仮リ所陳毎ニ曖昧模糊タリ」と報告しているが、松田『琉球処分』は、「条理」をめぐる「反復弁論」の記録であったといえるほどである。

「反復弁論」の応酬を、どう膨らみのあるものにするか。「小説　琉球処分」の努力の大半は多分そこにかけられたといっていいだろう。清国への朝貢、慶賀使の派遣、冊封使の受け入れ等廃止、福州琉球館の廃止、熊本鎮台分営の設置、藩王上京といった次々と繰り出されてくる示達に惑乱する藩吏たちの心事を、松田は「曖昧」「狡猾」「欺罔」とみなしたが、それらが単なる「蒙昧」に出たものではないことを得心すること。「恩義」ある国への侵略の口実として、自国の廃滅を誓わされなければならなかった心痛を我が事とすること。そして一国の存亡が、一代のみの問題でないということを見据えることであった。

大城が、第二世代の若者たちを力をこめて描いたのは、もはや明らかであろう。「小説　琉球処分」が『琉球処分』と大きく袂を距てるものになっているのは、その若者群像の躍動にあるが、それを決して対立的な関係でも、同志的関係でもなく、それぞれがそれぞれの生き方を貫いていくというかたちで描いていた。それは他でもなく「琉球処分」を終焉の歴史として見るのではなく、これから新しく始まっていく時代として見ようとしたということだろう。

大城が、「琉球処分」三部作をものした山里の歴史観を「ペシミスティック」だとしたのは、多分山里に「琉球処分」を新しい時代の始まりだとする展望が欠けていたとみたことにある。「小説琉球処分」の「エピローグ」の結末に「歴史を変えることはできない」と言ってはいけないと考える第二世代の若者をおいたのは、大城の歴史観をよくあらわすものであったし、大城が「小説　琉球処分」でめざしたのが何であったかをよく語るものになっているはずである。

歴史の決算

―大城文学と琉球・沖縄の歴史

大城立裕の初期短編に「青面」（一九五七年、一二月『自由』）というのがある。平敷屋朝敏らの処刑を扱った作品である。一七三四年（享保一九年）に起こった未曾有の事件とされるそれを、才走った若者の悲劇といったかたちで描いたもので、大城の文学が、その初期から琉球の歴史的事件と深く関わりつつ書かれてきたことを示すものとなっている。さらにこの作品は、「政治と文学」といったかたちをとっていて、時代の影響がそれとなく窺えるものとなっているが、「青面」が大切なのは、もう少し別のところにあった。

「青面」が、大切なのは、「青面」一編によってではない。「風」（一九五五年六月号『近代』）という小品がなければ、さほど問題にされることもないであろう。

「風」は、四十歳半ばを過ぎた小説家のもとに、彼が三〇歳になる前に書いた歴史に材をとった作品に登場してくる人物たちの名前が、どの資料に拠るものであるかを聞きに来た、かつての自分の姿を髣髴とさせる若者に、その事実を教えるといったものである。

小説家の書いた「黄金伝説」と題した作品には、平敷屋事件に連座した者一五名の名前が記されていた。若者は、その件に関し、色々の史書を渉猟したがそれらしい五名ほどの人名がわかっただけで、あとは不明なので教えを乞いたいといって来たのである。

事件に連座した者たちの名前は、小説家がやむを得ず創作したものであった。彼は、そのことで割り切れない思いをしたことがあった。小説家は自作の「黄金伝説」をアマチュア歴史家に見てもらった。別段何の指摘もなく、許容されたものだと思っていたところ、彼の急逝が伝えられ、彼の遺稿が上梓された。遺著となったそこに一五名の氏名が、小説家の創作になるままにあって、小説家のそれは逆に史実に添ったものとして見られるということが起こったのである。

しかもそれにはさらにその続きがあった。歴史学者でアマチュア歴史学者の先輩である教授からアマチュア学者の遺族に一五名の名前の記載された資料の有無を問う手紙が舞い込み、それが小説家へまわってきた。小説家は、事実を答えるわけにもいかず、内心ひやひやしていたところ、教授も他界して、いつの間にか忘れるともなく忘れてしまっていた、というのである。

小説家は、平敷屋事件に連座した者たちの名前を創作したことで持ち上がった出来事から「歴史はそういう風にして創られてしまうこともあるのか、いや自分によってすでにある史実が創られてしまったのか」と思う。そして「これをこのまま十余年来の秘密の中におしかくしたなら、さてこの先何十年いや何百年後には」史実として通用してしまうことになるのではないかと想像すると耐え難いものがあって、訪問してきた若い者に事実を話すことにしたのである。

ところが、事実を話したことによって小説家は「心の奥に」「空洞をつくってしまった」といい、作品は、次のように終わっていた。

人間によってつくられる歴史と歴史記述、それから歴史文学、それらが人間によって信じられたり疑われたりすることが、今の上地貞夫にとっては、あたかもいま彼の声を吹き流していった庭前の微風のようにはかないものであり、それよりも更に人間の心の歴史を命のように大事に一心不乱に書きつづけてきた業績のおかげで小説家という地位に安住している彼のその業績や地位こそが、まさにそのように他愛ないものに思われたのである。

小説家上地貞夫の感慨は、苦い。そしてそれは、間違いなく大城立裕のそれでもあった。大城は、『光源を求めて』で、「いかなる発想からであったかは忘れたが、蔡温と平敷屋朝敏のことを戯曲に書いた。一九五一年ごろのことで、歴史のことはまったく分からなかったので、親戚の屋部憲さんに教わりに行った」といい、「苦心したのは、平敷屋朝敏が一味一五人の連判状を読み上げるところである。（中略）人名の史料はない。仕方がないから創作したが、（中略）その創作した名を、いかにも史実であるかのように、ある人が随想に引用したことがあって、私はひそかに恐縮した」と書いていた。

大城が、一九五一年ごろに書いた蔡温と平敷屋朝敏のことを扱った戯曲というのは「孤島王国」

のことである。一九五六年『沖縄文学』第一号に発表されるが、「風」のなかで「黄金伝説」として出てくるのは、この作品にほかならない。

「風」は、「孤島王国」を書いたことで起こった問題を扱ったものであった。

「歴史文学」によって、「歴史」が作られる。「風」は、そのことの「むなしさ」或いはそのことを書くことによって得られる地位や名声が実に「他愛ない」ものであるといったことを書いていたが、大城がそこで強調しようとしたのは、歴史は、単に一作家の創作によって作り出されていくようなものではないということ、アマチュアを含め学者によってさまざまに書かれる沖縄の歴史が、実に危ういものであるとしたことであった。

大城が、琉球の歴史に材をとった最初の作品である戯曲「或日の蔡温」を書いたのは一九四九年。しかし、それは「世間の思惑をものともせず、是々非々をつらぬく、という蔡温の剛直な行きかたに父の肖像をかさねた」もので、「フィクションだが私小説に近い」ものであった。そしてその後「黄金伝説」として「風」で言及されることになる戯曲「孤島王国」を書いたことで大城は「沖縄歴史の勉強を少しずつするようになった」というが、歴史の勉強は、まさに「風」に登場する小説家の味わった、苦い思いを契機にして始まったといっていい。

「青面」が大切なのは、戯曲「孤島王国」で扱った素材を小説にしたといったことによるのではない。平敷屋事件に連座した者たちの中でよく知られた人名以外の他の一味の名前を挙げてないのは、単に挙げなくてもいいような書き方にしたというだけでなく、「仕方がないから」創作するといったことがもたらす結果が、予期しない方向へ動き出して行くことがあることを知ったことになるだろう。「青面」は、その苦い反省の上で書かれた歴史文学の第一歩を飾ったといっていい小説であったのである。

それにしても、大城の歴史ものの出発が、「或日の蔡温」「孤島王国」「青面」と繰り返し蔡温、平敷屋そして玉城朝薫といった人物をめぐって書かれているのは興味深い。それは、たぶん大城の中に「政治と文学」という問題意識が強くあったことの表れであると考えていいだろうし、「青面」はそのことを如実に示したものであったはずである。

一八世紀初頭の琉球の偉大な政治家、さらには彼に対立して処刑されていった和文学者を扱った作品をもって出発した大城は、「歴史文学」のもたらす「むなしさ」や「他愛ない」思いを味わいながらも、「歴史文学」に訣別することはなかった。

作品を書き始めた頃を振り返って大城は、「まったく分からなかった」歴史を習いながら作品を書き、作品を書いたことで「歴史の勉強を少しずつするようになった」と回顧していたが、その「勉強」を後ろ盾にしていよいよ本格的な「歴史文学」に向って行くことになる。

大城の「歴史文学」には、際立った特徴が見られる。それは第一王統の終焉、琉球王国の崩壊、福州琉球館の閉鎖、沖縄の壊滅、異民族統治からの脱却といったように、一つの時代が終わろうとする、その時その時を写し取ろうとしたことである。琉球・沖縄の歴史の動乱期に焦点をあて、押しつぶされていく者たちの無念さを取り上げていったといえるが、そのいずれもが歴史のうねりの大きさをたどるかのように大作になっていた。

大作だけではない。琉球・沖縄の歴史の局面を取り上げ、敗れていく者たちの苦渋に焦点をあてていくという点では、「青面」がそうであったように、短編、小品にいたるまで通程していた。それは、言うまでもなく、沖縄の歴史が、大国に翻弄された歴史であったことと関係していよう。大城は、「いったい『沖縄』とはなにか、という思いが私たちを沖縄歴史の勉強へかりたてた。（中略）人間＝沖縄の人間を書こうとすれば、どうしても沖縄の歴史をかえりみざるをえなかった」と書いていたが、その「沖縄歴史の勉強」が実を結んだものとして「小説　琉球処分」等があるのだが、それは歴史物だけに限らず、例えば「カクテル・パーティー」のような作品にまで浸透しているはずである。米・日・中・琉の親善を歌ったカクテル・パーティーが、実は「仮面」に覆われたものであったということを告発した芥川賞受賞作品「カクテル・パーティー」は、「ペルリ来航百十年祭」の行われた年を背景としていた。

琉球の開国を促したというより日本の開国を促したといったほうがわかりいいペルリの琉球上陸が、ほとんど暴力的であったことは歴史の事実である。とりわけ一行の首里城入城はその感を深くさせるものがあるが、それを祝う行事が行われた年を、米人によるレイプを扱った小説の時代背景に選んだのは、大城の史観とでもいえるのをよく示すものとなっていよう。大城には、この百十年の歴史が齎した事態としてレイプが見えたのである。そして、大城は、「カクテル・パーティー」で、沖縄近代史の決算を意図したと言えないこともないのである。

戦場の性愛
――「夏草」小論

1

「夏草」は、一九九三年夏号『中央公論文芸特集』号に発表された作品である。そして二〇〇二年『大城立裕全集8　短編1』に収録された後、二〇一一年には『普天間よ』に再録されている。

『普天間よ』には、「夏草」の他に、「幻影のゆくえ」「あれが久米大通りか」「窓」「荒磯」「首里城下線」そして表題作「普天間よ」の六編が納められている。大城は、その「あとがき」で「久しぶりに短編集を出すことになったが、出してくださる新潮社の意見もあって、雑多な題材を集めるのでなく、たまたま幾つか書いてある『戦争』でまとめることにしたのは、思いつきとはいえ、独自のものになったかと思う」と述べていた。大城が自負している通り『普天間よ』は、確かに沖縄戦を扱った「独自」の作品が集められているが、その中でも、とりわけ「夏草」は、独自性を誇っていい作品であった。

「夏草」が他の戦争作品と異なり「独自」なのは、戦場における性を取り上げていた点にある。

しかし、それは夫婦の交わりであり、その限りにおいては、とりたてていうほどのものではなかった。それが「独自のもの」になっているのは、戦場の性として語られてきたのが、ほかならぬ次のようなものであったことによる。

1、戦争の嵐は辻遊郭を血なまぐさい巷に変えた。たまに市民が登楼、彼女たちのつまびく三味線の音に情緒を味わい、泡盛を酌み交わしていると、日本刀をガチャつかせ、女を出せと暴れる軍服の大虎子虎に、市民は追い出されたもんだ。

各部隊は競うて慰安所を設置、一ヶ所十五人、一個連隊で二ヶ所を設置、全駐屯部隊で五百人の慰安婦を辻遊郭から狩り出した（山川泰邦「従軍慰安婦狩り出しの裏話」沖縄エッセイストクラブ作品集『群星』）。

2、兵用慰安婦は三十人ほどが慰安所で働いていた。毎日のようにカヤぶきの慰安所の前に、多数の兵隊が並んで順番を待っていた。小屋の中は地べたに毛布を敷いているだけの、粗末な施設であった。

ここで働く朝鮮慰安婦は、二十～二十二歳の若い女性たちで、昼間から客をとっていた。兵隊たちは、みんな目をみはるような美人で、日本語がうまく、モンペ姿であった。将校たちは、昼夜、自由な時間に出入りしていた。（山田盟子『沖縄篇　慰安婦たちの太平洋戦争』）

3、それでわたしたちの自分の屋敷ですね、そこにも兵隊さんがあちこちにおったんですよ。（中略）そうして兵隊さんが、わたしを追っかけて来て、「おばさん、おばさん、治療するから」とわたしを掴まえて、言うんですね、「いや兵隊さん有難うございます。わたしは怪我はしていません、ほかの人の血を浴びせられたから、有難うございます兵隊さん」と体を少し引いていいました。「いいえ、治療する」といって、何かしようとするので、その時はびっくりしてですね。「いえ、兵隊さん、有難うです」と駆けて逃げていきましたよ。また大勢の兵隊さんだったんですが、それで、仲新川小に引張って行ってですね。もうその時からは、何処の屋敷もすべてごちゃごちゃになって、ひきならしたようになっていたんですよ。それで、わたしは後の屋敷に引張られて行ったんです。

そうして与那城のよし子が、姉さん（中略）つれに、後の屋敷に行くところを、途中からあれも兵隊さんつれられて行って、これ（中略）が泊っていた屋敷の西、西新川小という家ですが、そこの門の辺で、「姉さん、姉さん」と大声で叫んでいました。わたしの耳にはそれが大きく聞こえましたが、これ（中略）は聞こえなかったというんです。その時によし子はやられたらしいんです。（金城ユキ、『沖縄県史9沖縄戦記録1　各論編8』）

4、私は子供をおんぶして毎日イモ掘りに出かけました。一軒の家に何十人も詰込まれて、窮屈でしたけれど、外出は割合に自由でした。ただ若い娘は、道を歩いていても、アメリカーから無理矢理に引張られてつれて行かれていました。ほんとうにこわかったんですよ。一緒に芋掘り作業に行っても、若く見える女は、すぐ引っ張られていました。助けてーしても、男の人も誰も助けることができませんでした。もし男の人が助けようとすると、アメリカーは銃を持っていて、撃つんですから、どうにもなりませんでした。ほんとに撃ち殺すんですよ。（与儀カマ、前掲書）

1は、辻遊郭から戦場へ連行された遊女たち、2は、従軍慰安婦として朝鮮半島から連行されてきて女性たち、3は、日本兵の暴行をうけた家庭の女たち、4は、アメリカ軍兵士の暴行をうけた女性たちについて触れたものである。戦時における性は、その多くがこの四件と関わって語られてきたといっていい。

真尾悦子は『いくさ世を生きて　沖縄戦の女たち』の中で「はっきり言ってしまえば、敗戦までは日本の兵隊にいいようにされて、負けたらこんどはアメリカ兵のおもちゃになる。そういう沖縄の女がどれほどいたか分らないっていうことです。ほんとに、恥ずかしくて話しもできない事実を、たくさん、見たり聞いたりしていますからね。女は、戦争中も戦後も、想像もつかないような、いろんな経験をさせられているんだけど、言わない。というより、言えないいんです。自分が恥をさらすだけじゃすまない。せっかく築いた平和な家庭を、そのために壊してしまう場合だってありますからね」と、被調査者の話を書き留めていたが、戦場の性については、そのように「恥ずかしくて話しもできない」ような出来事が取り上げられてきたのである。

「夏草」は、異なっていた。

「夏草」は、それら四件とは全く関係のない性が描かれていた。1から4に見られる性が、生きることを断念させてしまうほどに無惨なものであったとすれば、「夏草」は、生きていたいと思わせる勇気をわきたたせるものになっていたからである。

2

私は、「二週間前まで」「県庁の職員家族として集団で」大きな自然壕に避難していた。危険がせまって解散、壕を出て数日後、子供二人を失う。夫婦二人きりになり、豚小屋に避難している時、目の前で倒れた兵士の雑嚢を探り、手榴弾を手に入れる。その後二人は、重傷を負っているらしい将兵が手榴弾で爆死するのを見て、いよいよ手榴弾が、すべての恐怖から解放してくれるものになると確信する。十三夜の月影を浴び、妻と並んで萱の茂る墓の庭にすわり、私は、手榴弾のピンに手をかける。その時、墓の中から、ヘビが出てくるのを眼にした妻が、抱きついてくる。作品はそのあと山場を迎える。

「夏草」は、次のようにはじまっていた。


歩きながら、腰に当てた右手の手触りをたのしんでいた。

〈これが手榴弾か……〉

腰に吊した重みがある。それが足の運びにつれて、リズムを伝えて腰を叩く。ときたまそれを押さえて丸みを撫でると、その手触りが、ある懐かしさを呼びさましていた。左側に従いて歩いている妻を、そっと見た。妻は黙々と歩いていた。右頰が夕日をうけて、わずかな血の気がみえた。

手榴弾は一時間ほど前に手に入れたものである。

書き出しは、作品の山場となっていく箇所のいわゆる伏線となっているが、そこからまた二人が南を指して歩いているのも分かるようになっている。

作品は、そのあと、大城の作品世界を彩る重要なアイテムといっていい「神女殿内の神アシャギ」や「亀甲墓」の場を大写しにしながら進行していくが、作品の軸をなしているのは、〈これが手榴弾か……〉というようにして浮上する「手榴弾」であった。

作品が、いかに「手榴弾」を中心にして展開しているかをよく示している箇所が、二箇所ある。

（1）私の目には、いつしか手榴弾だけが映っていた。そのアシャギらしい家のなかに、兵隊が手榴弾をもって立て籠もっているというより、一個の手榴弾が、兵隊の手を借りて威を誇示しているのだと見えた。あたりの風景のなかで、いや、この世界にこの一個の手榴弾だけが存在している、ということに、兵隊は頼っているのであった。それまでどこにいたか知らないが、あるいは絶望のあまり――というより、むしろ絶望を断ち切るために、その一個の手榴弾だけに頼って、ここまで来たのだろう。（中略）いまは、手榴弾だけが神様と一緒になって兵隊を守っているということらしい。

私には彼がいま、肉体の疼痛に苦しみながらも、手榴弾に精神を安住させていることが分かる気がした。

それから数分のうちに、手榴弾は兵隊の手の中で爆発し、同時に神様の座敷も吹っ飛んだのであるが、私は伏せた顔をあげたあと、自分が無事であることを確認するとともに、手榴弾の威力を思わざるを得なかった。

威力を思うというより、その存在感を思い知ったと言ったほうが正確かも知れない。その場所を離れて、また新しい避難場所を求めて歩きながら、私の眼にはあの手榴弾の面影が、離れなかったのである。

同じ威力をそなえた手榴弾が、いま私の手にもある！

（2）気がつくと、私は右手で妻の腰を抱き、左手に手榴弾を握っていたが、その手榴弾を妻の乳房に押し当てていた。その左手を妻が手榴弾ごと掴んで動かさなかった。

手のひらが手榴弾をにぎり、指の甲で乳房を押していた。手榴弾の丸い鉄の肌には碁盤目の浅い溝が網をなしていた。

（1）は、兵士の一部始終を眼にして、手榴弾を用いれば、確実に死ぬことができることを自得する場面であり、（2）は、死を決意し、手榴弾のピンに指をかけたあと起こった出来事を記した場面である。

手榴弾は、本来「近接戦闘・塹壕戦などで用いる」ものだが、「死ぬことをちっとも恐くなんかありませんでした。手榴弾を二つ持っていましたし、それで子供三人と一思いに出来ると思っていました」（伊波ウト、前掲書）と語られるように、沖縄戦では、多くの民間人が自爆するために持ち歩いたことが知られているし、「日本軍の手榴弾は爆発力においてアメリカ軍のものよりまさっていた」（ジョージ・ファイファー　小城正訳『天王山　沖縄戦と原子爆弾　下』）といわれるように、自爆するには十分な威力があって、それで多くの人たちが爆死していくことにもなるのである。

「私」は、そのような「手榴弾」を、倒れた兵士の雑嚢を探って手に入れ、腰に吊して歩くことになる。その結果といっていいだろうが、作品は、（1）（2）に見られるように「手榴弾」の文字で満たされていく。

大城が、言葉の用い方に極めて注意深いことは、よく知られていることである。それだけに、そのあまりの同一語彙の頻用に驚かざるをえない。同一語彙の繰り返しをさけて、省略や指示代名詞を使用しても言い現すことのできる箇所はいくらもあると考えられるが、大城は、それを取らなかった。地の文でのこれほどの同一文字の頻用は、大城作品では、馴染みのないものだと言っていいだろう。「手榴弾」は、それほどに重要であり、置き換えのきかないものであったということであろう。

3

「手榴弾」は、作品の重要な鍵語となっていた。しかしそれは、頻用されているということだけによるのではなかった。「手榴弾」には、命を絶つための武器としての効用だけでなく、あと一つ大切な意味が込められていたのである。

それは、作品の山場となる、二人が、抱き合う場面で現れてくるが、その場面を、大城は、次のように描いていた。

やがて願いはあやまたず、体内で手榴弾が爆発して、そのあとのしだれるような感覚に身をゆだねた。妻も同時に呻いた。二人の声が溶けあって消えたあと、墓の奥の静けさがことさらに意識されたが、そこにはもはや何人の死霊もひそんでいるとは思えなかった。いのち果てるような思いが、そのまま生きていることを自覚させるものだということを、かねて知っていたはずだが、いまこそ全身全霊で思い知った。

「手榴弾」は、命を絶つためだけにあるのではない。その「爆発」は、命のあることをそして新しい命がやどっていくことを得心させるものでもあった。

作品は、そのように「手榴弾」の持つ意味が逆転していくかたちで終わりに近づいていくが、戦場における絶望から希望への転成は、別のかたちでも現されていた。

私は、避難することになったとき、「妻の着物を縫いなおして作った背負い袋」を持って出たが、それに詰めていたわずかな食糧が尽きたとき、それを「捨て」てしまう。そして、「県庁職員としての誇りの残影のような茶色の革鞄」だけは持ち歩き、食べ物になりそうなのがあれば、それに詰めていたが、その「茶色の革鞄」も「なげ捨て」てしまう。

「背負い袋」を捨て、そして「茶色の革鞄」を投げ捨ててしまったということは、生きることを断念したことを意味する。「背負い袋」を捨てたのは、入っていた食糧がつきたことによるものであったが、「茶色の革鞄」を投げたのは、「手榴弾」を手に入れたことによるもので、それは、間違いなく、死へ一歩踏み出したことを意味した。

そして、私は、墓の庭で、妻と並んで坐り、その「手榴弾」のピンに手をかけるのであるが、ふとした偶然で妻が抱きついてきたことから、「そのまま新しい感情へ移った」ことを知り、「手榴弾を妻の頭の横に」置き、「せめて今生の名残に、ひとつびとつ間違いない動きをと念じながら、それでいて横様にぶつけるように胸をあわせて、たがいの温もりを抱き締め」る。

引用部分は、その後に見られるもので、そのことで「これまでのすべてのことが、いまここで変わろうとしている」と思われる。そして「墓の門を出た」ところで、妻に「手榴弾を忘れてきた」

ことを告げるのである。

作品は、死から生へと反転していく様子を、そのように「背負い袋」を捨て、「茶色の革鞄」を投げ捨て、そして「手榴弾を忘れてきた」といったかたちで構成していたのである。

手練れの業といえた。

手練れの業といえば、次のような箇所についてもそういえるだろう。

私が、「手榴弾を忘れてきた」といったのに、妻は「もう、いいんでない？」といい、私は「そうだな」と応じる。二人は、「手に入れたときから、機会をみて死ぬつもりで」持ち歩いていた「手榴弾」を、「忘れてきた」と知りながら、取りに戻らなかったのである。それは妻の「死にたくない」というつぶやきに同調したことによるが、あと一つ、大切な要因があった。それは、死んだ二人の子供たちとつながっていくものである。


「これ……」

妻が言って私の前に差し出したのは、さっき掘り出した小さな甘藷であった。

「お前食ったらいいではないか」

妻は、だまって袂にいれてから、呟いた。

「あとで、供えてからにしよう」

子供たちが死んだあと、その霊に供えものをするということを、はじめて思いついたのだったいつ、どこで、何を仏壇に見立ててそなえるか分からないが、私は納得した。

大城は、作品を、そのように閉じていた。

沖縄戦の体験談を捲っていくと、すぐに出会うことになる一つに、「戦争というものは五歳から以下は、島尻に行った子で生きた子はいない、みんな死んでいるじゃないか。あのとき、小さい子供は死んで、何十人というのが、選ばれて埋められるのがあったんです。でもわたしは、ここまで生かして来たのに、どうしてこの子を守ることが出来なかったのかと、残念でたえられなかったんですけれど、ほんとに五歳以下の子供で生きているのはいなかった。栄養失調で、下痢がつづいて、だんだん死んでしまうんですね。／そうしてわたしは、こんどの戦争でわたしひとりだけにすべての犠牲を背負わされたのではないかという気持にまで追いやられたんです」（安里要江「おまんま食べたいよう」名嘉正八郎　谷川健一編『沖縄の証言（上）』）といった、子供を失った人の体験談がある。

大城は、戦場で子供を失った痛みを抱えて生きていかざるを得ない夫婦を見据え、作品を閉じていた。そしてそれは、子供たちを飢え死にだけはさせたくなかったという夫婦の思いと関わりのあることでもあった。

亡くなった子供たちの霊にそなえるためにとっておくことになった「甘藷」は、妻が掘り出したとき「めずらしく五つあった」という。その「五つ」は、「五歳以下」という先の体験談の言葉に符合するが、それは単なる偶然の一致で、この「五つ」にはまったく別の意味が秘められていたと見るべきであろう。

掘り出された甘藷が「五つあった」のは、確かにめずらしいことであったに違いなかった。しかし、単にめづらしかったということを強調するための「五つ」ではなかったはずである。五つのうち、二つは先に夫婦でわけあって食べていた。そして三つ残っていた。

妻は、それを思い出して私にさしだす。私は、逆に妻に勧める。私の言葉を受けて、妻は「供えてから」と呟くのである。

三つは、亡くなった二人の子供たちの霊に一つずつ分け与えるかたちで捧げるということにすると、一つは余分ということになる。しかしそれは、決して余分ではなかった。その一つは、月光を浴びて宿ったであろう新しい生命に、捧げられたものであったと見ることができるからである。妻が掘り出した「甘藷」は、「五つ」でなければならなかったのである。手練れの業という由縁である。

「夏草」は、大城作品を考えていく上で、あと一つ、大切な問題を秘めてもいた。

「夏草」という題である。

作品の山場は、確かに「夏草たちに囲まれた」なかで演じられていた。「夏草」は、そのあと「夏草の生きていることを知らせるようであった」というように使われているだけで、「夏草」の代わりに「萱」という言葉が用いられていた。

作品の題名を、使用されている言葉の頻度で決めると言うことはないといえるにしても、「夏草」

は、「手榴弾」に比べれば、はるかに影の薄いものであり、作品名としては「手榴弾」のほうがはるかに説得度は高いといえるはずなのである。

大城は、作品のなかで比重度の高い「手榴弾」を取らなかったのである。

それは、大城のなかに、墓の庭の場が、一等大切な箇所であるという認識があったということを語るものではあった。これまで取り上げられることのなかった戦場での夫婦の濃密な場を「夏草」をしとねとして描き出したことで、「夏草」を選んだということはあるだろう。しかし、それだけではないのではないか。

大城は、そこに「夏草はしげりにけりな玉桙の道行き人も結ぶばかりに」（『新古今集・夏・元真』）という一首を響かせたいと考えたのではなかろうか。

大城が、すぐれて教養主義的な作家であることは、広く周知の事実であることからしても考えられないことではない。「夏草」の歌が作品に響くことによって、戦場の性が、避難行の無事を祈る「呪術的な意味」を伴ったものでもあったことを示そうとしたのである

初期移民終焉の物語

――「エントゥリアム」をめぐって

作品は、「写真家の私」が、「ハワイ島ヒロ市の空港」に着き、「ヒガさん」に迎えられたところから始まる。

私が、ヒロに来たのは、祖父が、入院したという手紙を受け取ったことによる。手紙は、「タマキ・ゼンショーさんのご家族が、いますぐにくることを願います」と、「ローマ字」で書かれ、「トモダチデス」という「ヒガさん」から送られてきたものであった。

私は、ヒガさんの手紙の文章を「おかしな日本語」だと思う。ヒガさんの手紙は、確かに私がそう思ったような「おかしな日本語」であったといっていいが、それはまた「ローマ字」で書かれていたということによって倍加したともいえる。

移民の物語を始めるにあたって、「おかしな日本語」から入ったのは、それが、避けて通れない大きな問題の一つであったことによっていよう。

「初代沖縄移民たちは日本語がよくできないためにお互い同志は沖縄語ばかり使っていた」（豊平

良金「屈辱の中に生きて」『季刊沖縄1』一九七九年四月、那覇出版社）と言われているように、「初代沖縄移民」はあまり「日本語」が上手ではなかった。それゆえ、まず言葉で苦労することになる。

移民二世のヒガさんは、「初代沖縄移民」とは異なり、「ローマ字」ではあれ、とりあえず「日本語」を綴ることはできた。しかし、空港で私を迎えて「声をかけてくれた」彼の言葉は、私が「聞いたことがあった」通りの「広島弁」であった。

私が「聞いたことがあった」というのは、「広島、山口からの移民の数がきわだっているので、その地方の言葉がハワイ日本語の『標準語』となっている」（鳥越皓之『沖縄ハワイ移民一世の記録』中公新書、一九八八年一一月二五日、中央公論社）といったことである。ヒガさんの言葉は、その「広島弁」であったのである。そしてその「広島弁」に「沖縄方言」が交じるといったものであった。

しかし、「広島弁」に「沖縄方言」を取り込むだけで、生活できたわけではない。

沖縄の移民たちは「彼らなりの受け取りかた」で、「英語」も覚えていく必要があった。エヴェリン・ヨキ・シロタは『ハワイ移民修羅の旅路』（栃窪宏男編訳、時事通信社、一九八四年三月五日）で、父親について「父はハワイのことば、英語、日本語、その他の民族が使っていることばの入り混じったピジョン英語を覚えなければ、生活していけないことを学んだ」と書いていたし、またエヴェリンの兄・ジョンも「父と母は、二人だけで話をしたり、他のウチナーンチュの一世たちに話しかけるときは、ウチナーグチを話しました。しかし私たちに話しかけるときは、日本語であったり、あるいは日本語やハワイ語や英語がミックスされたピジン英語と呼ばれる言葉を使いました」（ジョン・

シロタ、山里勝己訳「ハワイ沖縄移民の異文化接触」『戦後沖縄とアメリカ　異文化接触の五十年』一九九五年一一月二五日、沖縄タイムス社）と述べていた。

私は、迎えにきたヒガさんの言葉が「広島弁」であることに納得するとともに、「広島弁」に沖縄語がまじり、英語が交じりそしてハワイ語が交じっていくこと事を知って行く。

作品は、沖縄移民たちが、耕地労働をしながら、いわゆる「ピジン英語と呼ばれる言葉」に馴染んでいかざるをえなかった経緯を、最初に取り上げていたのである。

○

私を空港で迎えたヒガさんは、ホテルと病院、どこを先にするかと聞く。私は「祖父が留守している家」を最初に見ておきたいと答える。ヒガさんは、私を助手席に乗せ、祖父の家のある「マウンテンヴュー」に向かう途中、祖父と共同で「エントゥリアム」を栽培しているといったことを話し、その農場へ案内する。

私は、祖父の生活が、私の想像していたのとは異なっていたことを知る。私は「若いうちにハワイへ渡り、砂糖黍生産労働で苦労している、そのあげくの落魄というのが、祖父へのかねてからの想像であった」からである。

私が、そのような想像をしたのは、「手紙もよこさず、沖縄へも帰ってこず、七十年というのは、ただごとではない」といった思いがあったことによるが、それは、多分に、初期の沖縄移民が「砂糖黍生産労働」で大変な苦労を強いられたといったことを、聞き知っていたことによる。

私は、私の父と祖母、すなわち自分の妻と息子を沖縄に帰して以来、祖父が「七十年」も音信不通になっているのは、初期移民の話として伝わっている「牛馬とちっとも変らなかった」（山里慈海「初期沖縄移民略記（旧移民ノート）」『ハワイ今昔ノート』一九九〇年九月一日、琉球新報社）生活のあと、「落魄」の人生をたどったことによるものだと考えていたのである。

初期移民たちは、「砂糖黍生産労働」に従事することから出発した。しかし、いつまでも、それにしがみついていたわけではない。「一九二〇年代の中頃から、砂糖キビプランテーションの危機が叫ばれるようになるのと呼応して」、パイナップル畑が「砂糖キビ耕地の隣接地域へ急速に拡大して」（久武哲也「マウイ島における砂糖キビプランテーションとエスニック構造」沖田行司編『ハワイ日系社会の文化とその変容　一九二〇年代のマウイ島の事例』ナカニシヤ出版　一九九八年三月三一日）いったことで、移民たちの仕事も必然的に砂糖キビ畑からパイナップル畑へと移行していく。

父の呼寄せで、一九二〇年二月ハワイに渡った仲間源助は、父と従弟たちが「パイナップルの共用栽培をしており、私も早速手伝うことになった」（仲間源助『がじまるの集い　沖縄系ハワイ移民先達の話集』崎原貢　一九八〇年一〇月三一日　ハワイ報知社）と語っているが、一九二〇年の中頃からは「日本人はより安価な価格で、廃止された小規模なプランテーションの砂糖キビ耕地跡や新たに開墾された土地に農地を取得し、その土地条件に応じて、パイナップルのほか、野菜や花卉栽培、養豚や養鶏などを行う独立した小農場を経営するようになっていく」（久武、前掲論考）のである。

祖父は、パイン畑の開墾ではなく、ヒガさんと「花卉栽培」を共同で始めていたわけだが、一九七〇年代末になると、マウンテンヴィユーで「エントゥリアム」栽培をしていた沖縄人組合会員が十名いたという（サブロウ・ヒガ「ハワイ島のオキナワン」『UCHINANCHU A HISTORY OF OKINAWANNS IN HAWAII』一九八一年 ESOHP）。

祖父は「明治の終りごろに二十歳でハワイに移民」していた。そして、ヒガさんから手紙が来た時には、「九十二」歳になっていた。祖父がハワイに渡った時の年齢や母の呟き等から、私がヒロを訪れたのは、一九八〇年代初頭であったこと、そして作品のマウンテンヴィユーでの祖父のエントゥリアム栽培という設定が、ほぼ事実を踏まえていたことがわかる。

作品は事実を踏まえていたことがわかるが、ここで見落せないのはそのようなことではなく、これまで語られてきた初期移民たちの携わった農作業とは異なる新たな職種が取り上げられていたということであろう。

それはまた単なる新しい職種の登場といったことだけに留まるものではなかった。砂糖キビやパイナップルの栽培と、エントゥリアムの栽培とでは労働の違いだけでなく、日常生活の劇的な変化を指し示すものでもあったのである。

マツ・キナは「一世のライフヒストリー」（『UCHINANCHU』）のなかで、エントゥリアム等の花卉類を栽培しているのは、葬祭用にということだけではなく花が好きだから、と語っているが、期せずしてそこから見えてくるのは、エントゥリアムの栽培が、砂糖キビやパイナップルといった食の原材料品の生産のためではなく、儀式あるいは鑑賞のための栽培であったということである。エントゥリアムは、葬儀用、鑑賞用として用いられるものであり、食材になるものではなかった。エントゥリアムの栽培は、生活に余裕が出来た事で生まれた農作業であったといっていいのである。砂糖キビ等のプランテーション労働者から花卉植物の栽培農家へと、移民たちの生活も変わっていったのである。移民たちの農業も、もはやかつてのそれではなくなっていたのである。

作品が浮かびあげた大切な点である。

○

作品は、移民たちの農作業の劇的変化を示す指標になったといっていい職種を取り上げていた。そしてそれは日常生活をも大きく変えていた。「エントゥリアム」は、それを、沖縄の伝統的な料理を取り出して来ることで示していた。

私は、ヒガさんのお母さんが作った「夕飯」に驚く。それは「沖縄料理」の定番である「アシティビチ」だったからである。

初期移民たちの食べ物と言えば、「ケチンに走って行き、薪に石油をかけて火を起し、ご飯を炊く。おかずはうどん汁からうどんを掬い上げ、おかず箱に詰めて醤油をひっかけて弁当をつくる」（呉屋真苅『がじまるの集い　沖縄系ハワイ移民先達の話集』一九八〇年十月がじまる会）といったように「ご飯」に「ウドン」であった。耕地の大コックに頼むと「弁当は日本食。おかずはイリコなんかですね。あるいはタクアン二切れとか三切れとか。あるいは魚、このくらいの大きさのアジであったら半分に切って」といったものであったが、手ゴック（自分たちでつくる）の場合には「ごはんを炊いて、おつゆをわかして、ソウメンなんか買うて、またおかずをつくったりなんかして」（永山盛光「琉球士族」『沖縄のハワイ移民一世の記録』）凌いでいた。その他「ナワフ」「サディンの缶詰」「塩サケ」そしてごくたまに「肉」といったのが上げられるが（『UCHINANCHU』）、一般的に言って「食事は一年中米のごはんとうどん汁だけであった」（比嘉カマド「プランテーションの生活」『沖縄移民女性史』沖縄県婦人連合会編、一九七九年九月一日）といった、極めて貧しいものであった。

初期移民の食事は、「うどん」が中心であった。もちろん「私たち家族はグァヴァの木蔭に腰をおろし、弁当をひろげた。ふたかさねのアルミの弁当箱の下の方にはご飯、上には塩味の豚肉と漬物が入っている」（「エヴェリン・ヨキ・シロタ」）というように、「塩味の豚肉」もないわけではなかったが、沖縄人はその「豚肉」で差別されるといった歴史を持っていたのである。

沖縄人が「豚肉」を食したのは、沖縄での生活がそうであったように、移民地でも多くの農家が、豚を飼育していたことによる。そのために「オキナワケンケン、ブタカウカウ（沖縄県人は豚を飼育し食べる、彼等は不潔だ）」（マサノリ・ヒガ「ハワイの沖縄人」『UCHINANCHU』）と揶揄され、差別されるといったことが起こったのである。

戦後になると食生活に大きな変化がおきて、他県人も抵抗なく豚肉を食べるようになる。そこで、かつてのような食にたいする偏見や差別もなくなっていく。

白水繁彦が指摘しているように、祭りで「「てびちスープ」と呼ばれる豚足の入ったスープやおきなわん・ドーナッツと呼ばれる「アンダギー」などのように、長い列ができて買うのもひと苦労というものでもある」(白水繁彦『エスニック文化の社会学　コミュニティ・リーダー・メディア』日本評論社、一九九八年一二月二〇日）と言われる現象が起こるのは近年のことであるが、一九八〇年あたりから「オキナワンがむしろ自信を持って「自分はオキナワンだ」といいはじめたのである。内輪でしか楽しむことのなかった沖縄音楽や舞踊、料理を人まえで見せるようになる」のである

私が、祖父の入院を知ってヒロの空港に降り立ったのは、まさにそのような時代の始まりを告げる頃だった。「九十を過ぎた」というヒガさんの母親が、「アシティビチ」を作ったのは、特別な友人の孫を歓待するためであったといっていいが、それはまた、沖縄人移民たちの意識が大きく変わり始めていた時代を示してもいたのである。

○

「エントゥリアム」は、沖縄からの初期移民たちの言葉が広島弁を基本にしていたこと、砂糖キビやパイナップルではなく花卉植物の栽培を共同で行っていたこと、そして私を迎えてくれたヒガさんの母親が、沖縄の典型的な料理であるアシティビチを作ってくれたこと等を書いていたが、それらは、移民の生活史を点綴したといっていいもので、「エントゥリアム」が照らし出そうしたのは、実は、そこにあったわけではない。

ヒガさんがいきなり唱いだした。

「〽ハワイハワイと夢見てきたがよ　流す涙も黍のなか」

日本語だが歌謡曲でも民謡でもなく、はじめて聴く歌だった。顔はうつむき加減に、声量はないが、すこし甲高い声は、他人に聞かせるというより自分に聞かせる、という風情である。素朴な旋律、そして歌詞だが、部屋の空気に染みわたって、どことなく気だるさをふくんでいる。移民がその哀愁を写して歌にしたということだろう。

私は、ヒガさんが、雑談で出て来た「カチケン」という言葉に触発されて歌い出したものらしい歌を「ホレホレ節というのだ」と教えられる。そして「ホレホレ節は生活の端々を思いつきで唄ったもので、無造作に無数に作られただけに、記憶されているのはわずかだ」という説明を聞いて、私は「九州三池に炭坑節があるようなものか」と思うと同時に、「もう一度、とねだった」ところ、「〽カネはカチケンよう　わしゃホレホレよう　夫婦そろって共稼ぎ」と歌ってくれた。

「ホレホレ節」についてジャック・Y・タサカは、「いつのころから、だれが歌いはじめたものかわからないが、とにかく最初は日本人移民たちが砂糖耕地で野良仕事をしながら、その日常の労働の辛さや生活の苦しみ、男女関係、世相、望郷の思いなどをみんなで歌った作業唄であった。それはちょうど、日本の農山漁村に数多くの民謡があり、農夫や木こり、漁師や船頭、あるいは工場の女工たちの作業唄がたくさんあったようにである」(『ホレホレ・ソング　哀歌でたどるハワイ移民の歴史』日本地域社会研究所　昭和六〇年三月五日）と書いているように作業唄として歌われていたのを、ヒガさんは、歌ったのである。

ヒガさんのお母さんは、ヒガさんがその幾つかを歌ったあとで、「タマキさんが作ったものがあっただろう」という。当のヒガさんが、あったが「でも忘れた」というので、自分で歌い出す。

母親が歌ったのは「朝は早うから　カチケン暮らしよう　沖縄《シマ》のかあちゃん察してよねえ」というものであった。歌い終わったあとで、彼女は「シマのカアチャンというのは、妻《トウジ》のことでないえ……」と付けくわえ、「タマキさんがどれほど家族のことを心配していたか、ということを」話してくれた。その話から、キャンプで「タンカーしてもらった」話になり、どんなつらい生活のなかでも、人間は楽しみを見つけ出していくもので、祖父の歌には、それが良く表れている、という。

沖縄の習俗が、移民地にまで及んでいった話のあと、私は「もう一度」と歌を注文する。ヒガさんが歌い終わったところで、母親が座をはずし、ヒガさんもお手洗いにたつ。それを見計らったかのように、カネシロさんが、ヒガさんの母親を「親父さん」と祖父とが「奪い合ったことが」あったという話をする。

その話は、祖父が祖母を呼び寄せる前のことかと、私は聞く。すると、祖母が私の父を連れて沖縄へ帰ったあとのことではなかったかと思うといい、「二人がキャンプから抜け出して、自分たちだけでモーアシビーするのを見た人は多い」という。

ヒガさんが戻って来て、カネシロさんの、祖父が「砂糖黍生産を捨ててエントゥリアムの農場をもつように」なり成功したのは「ヒガさんとその両親」の世話があってのことだったという話から、一世移民が大変苦労したこと、嫁を郷里から呼寄せたこと、子供が出来ると日本で教育させるために、母親とともに帰国させたといった話になり、私は、祖父が「祖母と父を帰らせた上で、ヒガさんの母親」とのことがあったのかと思い、「絶句」する。

その時、カネシロさんが「思いだした」といい、「タマキさんの作ったホレホレ節で、よく唱われたものがあるじゃないか」と言って歌い出す。その歌詞は「〽カネかアイカネか迷う道中でよう　わたしゃホレホレの陰で泣く」というものだった。

その歌について、ヒガさんの母親が「タマキさんが作ったというのは嘘え」と否定するのを聞いて、私は、「母親がむきになったのは、いくらかウチアタイする（胸に当たる）ことがあるからかもしれない」と思う。そして、ヒガさんは「母親のことを知った上で、祖父の晩年を助けたということなのか」と思い、ヒガさん一家と祖父との関係に思いをめぐらせていく。

彼等の関係が、「愛」と「友情」に結ばれたものであったことに思い至った時、それは「あの月影のように清潔で崇高なものに見え」たばかりでなく、カネシロさんの話は「採るに足らない」ものであり、また農場の「どれだけが祖父のものか」といった疑問など、「移民七十年の苦労の分かち合いに溶けてしまう体のもの」だった。

「ホレホレ節というのは、もう古いねえ……」

カネシロさんがわざとらしい明るさで言った。「もうエントゥリアム節が生まれてもいいのう」

「そうだのう……」

ヒガさんが気のなさそうな相槌を打って苦笑した。


私は、「エントゥリアムにはもはや、ホレホレ節のような哀愁の歌はうみだせまいが、これも新たな夢か」と思う。

翌日、私は、ヒガさん、カネシロさんとともに祖父の病室を訪れる。私は、祖父に、「ゼンキ」だと自分の名前を言うと、祖父は「ゼンキチか」と父親の名前を言う。私は、祖父が、孫の自分を息子だと思い込んでいることに「絶望」し、その思いに耐えていると、祖父の口から聞き取ることのできない発音で、抑揚のとぼしい「歌かとおぼしい」ものが聞こえ、聞き流していると、カネシロさんが聞き取った。それは「〽エントゥリアムをよう　オキナワへ送ろうよ　ハートのかたちをこころにこめてよう」というものだった。

作品のクライマックスともいうべき個所である。

○

カネシロさんは、「ホレホレ節というのは、もう古いねえ」といい、「もうエントゥリアム節が生まれてもいいのう」といっていた。それにたいして私は「エントゥリアムにはもはや、ホレホレ節のような哀愁の歌はうみだせまいが、これも新たな夢か」と思っていた。それが、祖父の口から「エントゥリアム節」ではないが、エントゥリアムを歌った「ホレホレ節」が飛び出して来たのである。

私は、その歌を聞いて、「ヒガさんの母親を連れてこなくてよかった」と思う。それは、昨晩「シマのカアチャン」をめぐって出て来た言葉の解釈、そして祖父が作ったという歌を否定した彼女の姿が、強い印象を私に残していたからであるし、何よりも、その歌が、はっきりと「沖縄へ送り返した妻」のことを歌っていたからである。「祖母はカチケンとホレホレ節しか知らなかった。だから祖父は、ホレホレ節でエントゥリアムを唱った」のだという思いとともに、「それを祖母へ送ろうという意志を死ぬまぎわに見せている」ことに強くこころを打たれる。

作品は、そのように、思いもしなかったようなことが起こって結末を迎える。そしてそれは驚くべき結末であったといっていい。「エントゥリアムにはもはや、ホレホレ節のような哀愁の歌はうみだせまい」と思っていた私の思いをみごとに打ち砕いたということでもそうだが、頼りになるものがそれだけしかない、という祖父の最後の思いを引き出していたということでもそうだった。

作品は、「ホレホレ節」を祖父の「挽歌」にしたことで、忘れがたいものとなっていたが、そこには、大切な問題が秘められていた。

沖縄移民の哀歓を描くのに、なぜ「ホレホレ節」でなければならなかったのかということである。

○

一九〇六年八月「三年契約の自由移民として渡航した」呉屋真苅は「耕地に着いた時は、蔗はハナワイ（灌漑）が済み、成長した蔗のホレホレ（葉むしり）の段階となっていた。このホレホレは苦しい仕事で、先輩移民の内地人間では、仕事の苦しさを歌で紛らわす〝ホレホレ節〟が生まれたほどであった」（前掲書）と書いていた。そこに見られるように、ホレホレ節は「先輩移民の内地人間」たちの間で歌われていたものであった。もちろん沖縄移民間でも歌われるようになっていったということはあったであろうが、しかしそれは、しっくりいくといったようなものではなかったのではないか。初期移民のほとんどが「標準語」に不得手だったということだけではなく、歌おうと思えば、沖縄人には、もっと身近な歌があった。琉球民謡である。

ハワイ在住の作家外間勝美の「ハワイ夜話」（比嘉太郎『移民は生きる』一九七四年二月二〇日　日米時報社）は、「アントゥリウム」の祖父とほぼ同じ時期の「明治四十二年の初夏」父の呼寄せで渡航した男のことを書いたものだが、その一節に

〝行こかメリケンよ、戻ろかジャパン、
ここが思案のハワイ国……〟
他県人の歌う〝ホレホレ節〟の一節のように、
〝行ちぶさや沖縄、親兄弟ぬ御側、

何時か花咲かち、戻て行つら!〃
と深い思案に暮れるのだった。

といった箇所が見られる。

ホレホレ節は「他県人の歌う」もので、沖縄人は、琉球民謡にのせてつらい思いを歌っていたのである。沖縄移民たちの歌う歌ということであれば、「ホレホレ節」よりも、やはり「琉球民謡」のほうがふさわしかったといえるのではないかと思うのだが、大城立裕は、それをとらなかった。大城が、琉歌に堪能なのは新作「組踊」を数多く発表しただけでなく、自伝琉歌集を刊行していることでも自明である。ホレホレ節以上に琉歌を用いることは容易かったはずである。琉歌は、大城の身近にあったというだけでなく、初期移民たちにとってさらに身近であったと思われるにも関わらず、それをとらず、あえてホレホレ節を取ったのは、なぜか。

多分それは、プランテーションでの労働歌として広く歌われていたのが他でもなくホレホレ節だったということにあるが、それ以上に、その歌が、消え去っていたということにあったのではないか。

私が、ヒガさんの手紙にうながされてヒロに祖父を訪ねた頃には、ホレホレ節はすでに消えていた。消え去った歌を持ち出すことで、一世移民たちの時代も終わったことを、間違いなく示すことができると考えた結果に相違ない。

作品は、祖父の遺骨を持ち帰ることになるにちがいないことを予測して終わっていた。それは行方不明同然になっていた祖父の最後を描いていたが、それ以上に移民一世たちの最後を象徴的に描き上げていたといっていい。

そのための「ホレホレ節」だったのである。

遊女たちのゆくえ

―「幻影のゆくえ」をめぐって

大城立裕には、数多くの戦争作品がある。二〇一〇年九月号『新潮』に発表された「幻影のゆくえ」はそのひとつである。

作品の粗筋は、父親栄信を防衛隊にとられた一家――祖母のウタ、母親のヤスそして高等科一年に進級したばかりの照男の三人が、住んでいた中頭郡中城村熱田部落を出発し、避難民にまじって南に向かい、大里村与那原を抜け、斎場御嶽あたりの壕や墓を転々としていくというものである。避難行は、思わぬ出来事の連続で、困難を極めたものとなっていくが、その一つに母親ヤスの発狂があった。

作品は、その発狂した母親ヤスの発する声に導かれるようにして展開していく。

母親ヤスが狂ったのは、逃避行が始まって間もなく、雑踏のなかで祖母ウタの肩を押し前に出て行った男が、近くに落ちた砲弾の破片をあび、ヤスの眼前でのけぞって倒れ込んできたことによる。ヤスは、「おそるおそる男の死体を見つめたかと思うと、うゎーんと異様な声を上げて死体に」

とりすがり「坐ったまま死体を見つめ」ている。ヤスの「喉から『ウ、ウ、ウ…』という陰にこもった声がもれて」いて、「身体が震えているように見え」る。照男は、母親ヤスの様子を見て、「その頭にはもはや、この世界の一切が消えているに違いない」と思う。

照男は祖母ウタに「お母はもう駄目だ」という。祖母は「戦だからね」と応じ、「そのままでも連れて行くんだよ。命のあるかぎりは」と諭す。

死体を後にして歩き出したヤスが、まもなく「はあ、はあ」と「奇妙な言葉を口に」する。そして「右腕をのばして、すこし先の山手の一角を」指す。

照男は、「なに？」と聞くが、もちろん答えがあるわけではない。祖母がそれに答えて「ガマ（洞窟）か墓があるのだろう」と「一片の疑いをも斥ける体の、自信ある言葉」を口にする。果たして、五十メートルほど行くと、「洞窟の入り口らしい穴が」あって、その奥に避難民が坐っているのが見えた。

この「はあ、はあ」が、ヤスの最初の「霊威」の発現で、ウタは、ヤスの頭脳が「人並みの知識や関心をすべて忘れた反面、常人には見えないものを観る霊的能力を得ている」と確信する。

壕の入り口で、祖母が、中城の熱田から来た事、三人を壕に入れて欲しいと懇願したところ、中にいた元区長が「なんだ、お前たちは？」と問い、「だいたい…」と言葉を続けようとしたとき、表でヤスが、「はあ、はあ」と叫び、右手を上げ中城の方をさす。そのとたんに「中城に砲弾が落ちて土煙を上げる」のが見えた。

これが、第二の「霊威」の発現である。

に入る。

元区長が、狂人を壕に入れるわけにはいかん、というと、祖母は、ことわると艦砲がここに落ちることになるという。理も非もなく、かみあうはずもない問答のすえ、元区長が折れ、一家は壕に入る。

第三の「霊威」は、そのあとすぐに現れる。ヤスが外に出て、排尿を終え、ガマに戻る前、入り口で「右手を水平に構え、それからゆっくり下ろして下の安座間部落を指し、例の「はあ、はあ」という叫び声をあげる。祖母は、「あの指さしが、なにかの洞察や予言を意味していると思われる」とやはり壕にいる元校長に話すが、これまでのように、すぐに何かが起こるということはない。海を眺めてたたずんでいる母をひきずるようにして、連れ帰ったところ、祖母が「何かを見ているんだろうね」というのへ、照男は「中城を見ている。それにこの下の部落も」と答える。

第四番目の「霊威」は、「坐ろうとはせず、佇ちつくしたまま奥のほうを指して」「アアッ、アアッ！…」と、「これまでにない叫びを」あげるなかで顕現する。その叫びは、ハブの出現を予知したものであった。壕の奥で声があがり、ハブに噛まれて死んでしまう者が出る。そのことで、「狂れ者として除けるのは如何なものか」といった気配がひろがり、「自然にガマに居つくきっかけ」を作ったが、「十日近くが過ぎたとき」兵隊たちがあらわれ、壕にいられなくなる。

壕を出されて、夜通し歩き回り、疲れ切り、とにかく休息を取ろうという言葉が出たところで、ヤスの「はあ、はあ…」が始まる。第五番目の「霊威」の発現で、「門中ごとの墓敷が」ある「そのなかの一つをヤスが特定して」いて、「珍しいことに避難民の影」もなかった。

　しかし、そこにもそう長くとどまることが出来なかった。墓主が「墓敷」を離れたのは、父親が死に、その報告を家の仏壇に報告するためであった。墓を出ていくとき墓主の妻が教えてくれた場所を目指していると、「ヤスがまた上を指して、はあ、はあと」いう。これが、第六番目の「霊威」で、今度は、隠れるところが見つかっても、「ヤスの奇声は引っ込まなかった」。その奇声の「理由」は、元校長、元区長たちが、そこに先に入っていて、再会できたことにあるらしかった。

　祖母ウタは、そこで銃弾をうけて亡くなる。長い間泣いていた照男が、泣き止んだその時、ヤスの「はあ、はあ…」いう声が墓の庭から聞こえて来る。見ると、「墓敷の門を通して、はるか下へ向けて叫んでいる」。ヤスの最後の「霊威」が顕現する場面で、その後に次のような描写が続く。

「お父か…」

　照男は察した。いましも十六夜の月の光に濡れて、敗残の兵士たちがひたすら逃げていく。その姿は本当に影だけのように見えるのだが、ヤスにはもっとはっきり見えるのだろうか。

　父の栄信たちの防衛隊というのが、歩兵の敗走のようなことをするのか。どこで何をしているか見当がつかないが、栄信の妻であるヤスには見えているのか。

「それとも…」

と、とつぜん浮かんだのは、ツル子の母親のトミ子の面影である。ヤスはいま、一見眼下に敗走兵を幻視しているかに見えるが、その方向をはるかな先に延ばせば、ツル子が目指す中城だ。そこにいま何を、誰を見ているか。

あるいは、ツル子がひとり中城をめざして、アメリカ軍の火線を抜けながら行く姿を幻視しているか。

照男は、ヤスが「下へ向けて叫んでいる」のは、「お父」を幻視してのことか、「それとも」中城をめざして歩き出していったツル子が見えていてのことか、と思いめぐらす。そして、作品は、次のように終わる。

ただ、いま気づくのだが、雨が降りつづき泥がひどくまとわりつくなかでは、米兵でも日本兵でも、ツル子に悪さをすることはできまい。せめてもの有難い状況だ。

そのなかを行くツル子の願いが無事に遂げられるように、そして、ヤスの幻視がツル子の願いの成就のために、なんらかの助けになればよい、と願うだけだ。――照男は雲にかくれた十六夜の月に祈る。

作品は、そのように狂った母親の「幻視」が、「ツル子の願い」を成就させるものであってほしいと願うところで終わっていた。

戦争は、まだ続いていて、ヤスや照男、そしてツル子がどうなっていくのか誰もわからない。

○

作品は、ヤスの七つの「霊視」を作品の動線にして展開していく。しかし、その「霊威」の発現ということだけであれば、戦争がひとりの母親を発狂させ、見えないものを見るようしたといった物語で終わってしまったであろうが、作品は、それだけを描いたものではなかった。発狂したヤスの第三の「霊威」の発現を契機に、作品は「ツル子」をめぐるあと一つの物語を発動させていた。「霊威」の発現という幻想的ともいえた物語は、もっとも厳しい現実の問題を内在させていたのである。ツル子は、最初、次のように登場していた。

照男が父と母のただならぬ秘密に気がついたのは、小学校に上がった年のことである。ある日、見知らぬ女の人が照男と同じ年くらいの女の子と自分の母親をつれて、尋ねてきた。その女の人が父にとって母と同じくらいに親しい人であるということを、祖母もまじえた大人たちのやりとりを傍で聞いて察した。

女の子はツル子という名だと聞いた。「異母姉弟」という言葉は知らないが、それらしいことをおぼろげに覚った。

「父と母のただならぬ秘密」が、「見知らぬ女」とその人の連れた「女の子」の登場によって、明らかになるのだが、ことはそれだけで終わったのではなかった。そのあと「六年ぶり」の来訪があって、「生活のためにツル子を那覇の辻町遊郭に遊女として売ることを報告に来た」こと、そしてそれからさらに「六年後」の十月、那覇大空襲があって、「ツル子が家にかえってきた」こと、「遊女たちの借金はみんな反故になったそうだ」といった話が父から出て、ヤスが「だから何？」というのに、栄信は「それだけの話さ」と返す。「このままではいくまいと」思っているうちに、栄信が防衛隊に召集され、「ツル子」の話は、「変なかたちで収まって」しまう。

アメリカ軍が上陸してきたことで、三人の逃避行が始まり、まもなく眼前の死に衝撃を受けて母親が狂い、「霊威」が現れるようになる。その三回目に、「下の安座間部落を指し」て「はあ、はあ…」叫ぶ母を見て、「なにかの洞察や予言を意味していると思われるが」というウタの言葉通り、水を探しに部落へ降りて行った照男がツル子と会う。

次は、その場である。

「テルオ！」

「ツル子か！」

もんぺ姿がいかにも大人っぽくて見それるところだったと思っていると、ツル子は手渡しかけた釣瓶を、またもや井戸に投げこみ、水を汲みあげると照男たちの水筒を満たして笑った。

高等二年か——と、咄嗟に思い浮かべた。たぶん小学一年生のときに一度会っただけだ。それから今までの間に辻町遊郭へ売られたというが、こんな戦場で再会の機会にめぐりあえたのも、顔をよく覚えていたのも、異母姉弟だからこそ恵まれた運命か、と思いたかった。

ツル子が、井戸端にいたのは「抱え親《あんまー》の実家の本家」がそこにあったからである。ツル子の説明によると「空襲で那覇辻町を焼け出されて、アンマーが四人の遊女をつれて実家に帰ったが、戦争がはじまってまもなく、実家が焼けて家族も遊女の一人を道連れにして死んでしまったから、たまたま本家の実家が避難して空き家になったので、ここに移った」ということであった。

作品は、ヤスの第三の「霊威」の顕現から、「遊女」の物語にその軸足を移していく。

ツルのいた遊郭「辻町」が、空襲で焼け落ちたのは、一九四四年一〇月一〇日。『辻の華』（昭和五一年一二月二〇日、時事通信社）の作者上原栄子は、その日のことを、次のように書いていた。

初めてのこの大空襲は爆撃機だけでしたが、那覇市街は壊滅し、那覇港に停泊中の商船、軍艦、漁船のことごとくが沈みました。

爆撃の音も止んだ夕方の五時頃、おずおずと井戸から首を出してみた一人の姐《おんな》が「ワーッ」と奇声を発しました。その声で、みんな我先に井戸の外に出てみました。そして驚きのあまりそこに立ち尽くしたのです。辺りは見渡す限り焼野原、辻遊郭は影も形もなかったのです。

那覇市内にはおびただしい死傷者が出ました。幸い井戸のお陰で、辻の姐たちはただの一人も負傷者は出ませんでした。姐たちは、故郷へ帰る者、あとに残る者、それぞれ励まし合いながら、別れ別れになってゆきました。ここに四百年の長い年月、営々と築きあげられてきた辻遊郭の歴史は終わりを告げたのです。

『日本の空襲―九　沖縄』(三省堂　一九八一年九月一日)によると、一〇月一〇日「この日、ハルゼー艦隊の第一機動部隊の空母から発進した攻撃機は延べ約一、四〇〇機、空襲は午前六時四〇分から午後四時すぎまで五波におよんだ。第三波までは沖縄本島全域の飛行場、港湾施設、船舶などをシラミつぶしに破壊し、第四波、第五波は那覇市に集中して全市の約九割を焼き払った。沖縄独特の赤瓦の屋根と熱帯樹におおわれた美しい古都はこの日の空襲で烏有に帰してしまった」という。

辻遊郭も、第四波、第五波で影も形もないほどに焼き払われ、「姐たちは、故郷へ帰る者、あとに残る者、それぞれ励まし合いながら、別れ別れになって」いったといい、「ここに四百年の長い年月、営々と築きあげられてきた辻遊郭の歴史は終わりを告げた」と上原は回想していたが、作品も、同じく、一〇月一〇日のあとのことを「営業ができず、一千人はいると言われた遊女と、その生活を束ねるアンマーたちが、すべて散り散りになったという。散った先は、郷里が多いという」と書いていた。

ツル子も辻町遊郭が焼けたことで、「いったん屋宜の家族のもとに帰ったけれども、アンマーとの約束があったので、アンマーのところに」もどって、アンマーと一緒に行動していたのである。

ツル子は、他の遊女とともに、アンマーの「実家」へ避難するが、そこを焼かれて、空き家になっていた「本家」に入っていたのである。

アンマーは、「本家」の人たちをこころよく思っていなかった。それは、四〇年前、父親の手術のため、必要な金を「本家」に借りようとしたがことわられ、「遊女売り《じゅり》」されたという経緯があってのことであったが、その「本家」の人たちが、死んだということを知って、ガマに行くことを決意するのである。

アンマーの一行が入った壕には、アンマーと懇意にしていた「銀行松田という綽名で通って」いて、「辻遊郭で新人遊女の成人式のような『水揚げ』の上得意」な男がいた。男は、アンマーたちが入ってきたのを見て「大事な約束は果たせずじまいだったな」と、「意味ありげな挨拶」をする。

そのあと、兵隊たちが現れたことで、壕を出なければならなくなった「昭雄一家の三人、辻町遊郭を担いできたようなアンマーの一行四人、松田の夫婦二人——総勢九人」は、門中墓を探し当て、一緒の生活を始めることになるのである。

そこで、さっそく、アンマーと松田の密談がはじまる。

「水揚げをお願いしたのは、ツル子でした」

「察しがついたよ。偶然にしては出来すぎているが」

「あなたさまが、うちの部落《むら》にいらっしゃったのが、偶然なのです」

「あんたに会いたかったから」

「とかなんとか仰って…」

とかすかな媚びを売っておいて、「神様のお引き合わせです」

それで、折角の出会いだからこのさい、と誘いをかけた。


松田が、「こんな場所で」というのに、アンマーは、いい場所を探してあるという。松田は食指を動かし「しかし、あの娘は大人になってはいるかね?」と問う。アンマーは「十四です」といい、「よしんばそこまで行ってないにしても、この時世ですから、あの娘にしても大人の真似事をして、幸せといってよいのではないですか」と「凄いことを言う」。

アンマーが、ツル子の年を「十四」だといい、「よしんばそこまで行ってないにしても」と付け加えたのは、その歳では、平時なら、まだ客を迎える歳ではなかったからである。正子・R・サマーズは『自由を求めて　画家正子・R・サマーズの生涯』(高文研　二〇一七年九月二三日)の中で、「私は一四歳になり、初潮を迎えた。(中略)生理が始まるということは、苦しみの始まりを意味していた。アンマーは男性を迎え入れるための準備として、私に二つの部屋を準備した。一五歳の時だった」と書いていた。上原栄子も「わたしが十五歳になった頃から、抱親様の落ちつかない様子が始まりました。何といっても長い年月、自分の産んだ子も同様に、日夜心を尽くして育てた大切な妓です。一人前の女にしなければならないという、辻の抱親としての義務がありました」と書いているように、十五歳になると、客を迎えたのである。ツル子は、しかしまだ「一四歳」であった。ツル子を「一四歳」にしたのは、作者にそのような知識があってのことであったことがわかる。それはまた、ツル子の危機を救う照男の歳を「十三」にしているのにも現れている。

一九四四年一二月一二日「陸軍防衛召集規則」が改正され「志願によって第二国民兵役に編入された十四歳以上の者も防衛召集できるようになった。同時に陸軍召集規則も改正され、彼らを臨時招集することもできるようになった」（林博文「第九節　防衛隊解題」『沖縄県史　資料編23　沖縄戦日本軍資料』）といわれているように、「一三歳」は、召集年齢に満たなかった。作者が、ツル子を一四歳、照男を一三歳に設定していたのは、大きな意味があってのことだったのである。

○

「幻影のゆくえ」は、戦場を逃げ回る一家を描いていた。しかし、それは一家の逃避行だけでなく、一家の逃避行にともなうあと一つの少女の物語、「水揚げ」前の遊女を描いた物語になっていた。大城は、一家の逃避行の物語のなかに、どうしてそのような遊女の物語を挿入したのだろうか。

沖縄の小説の多くに遊女が登場してくるのは、よく知られている。それは、沖縄文学の一つの系譜をなしているといっていいほどだが、「幻影のゆくえ」が、他の作品と異なるところがあるとすれば、それは、「水揚げ」まえの遊女に焦点をあてていたということにあろう。そこには明確に一つの意図があったといっていい。

戦争と「辻」の遊女たちということになると、すぐに出て来る問題があった。

第五六号　石兵団会報　九月十七日　一六〇〇　仲間
（前略）
五在仲間後方施設ヲ左ノ如ク呼称シ九月二十日ヨリ営業ヲ開始ス
所在地　　名称　　所在地　　名称　　所在地　　名称
安波茶　見晴亭　経塚　　観月亭　安波茶　　軍人会館
又司令部及直轄部隊ノ外出ハ二十日ヨリ営業ヲ開始ス
（中略）
七各部隊ハ慰安所開設ニ当リ左記事項ヲ速ニ報告セラレタ度（自後変更セルトキハ覚書ニテ可ナルニ付其ノ旨報告）
左記
1後方施設担任委員名（委員全員ヲ報告スルニ及バズ庶務掛ノミニテ可）
2営業開始月日
3経営場所（経営場所ハ現住所ノ外桑江中央旧〇〇）
（旅館跡又ハ民家等ノ如ク付記セラレ度）
4経営者氏名

5妓女数
6経営内規等アラバ其ノ写

第六十二師団（俗称石部隊）「第五六号　石兵団会報」は、そのように、「慰安所」を開設し「九月二十日ヨリ営業ヲ開始ス」と報じていたが、次の証言は、その開設と関わりのあるものである。

一九四四年のある日、辻の女性はすべて、軍と一緒に行動するように命令が出された。何が起ころうとしているのか分からず、心配で心が痛んだ。私たちの地区の者は石部隊（第62師団）についていくように言われた。

（中略）

数日後、私たちはトラックに乗せられて、見知らぬ場所に向かった。何が待ち受けているのか全くわからなかった。四歳で売られた時のような、不安で心細い気持ちになった。

（中略）

私は束の間でも、辻の束縛から自由になれたことに感謝した。この気持ちを説明するのは難しい。一般の人にはこの感覚は分からないだろう。

しかし、ほかの年上の女性たちは生き地獄だったにちがいない。毎日、たくさんの兵隊たちが列を作って、代わる代わる彼女たちを抱く順番を待っていたのだ。彼らは番号札を持って順番待ちをしていた。私の部屋から兵隊たちの様子が見えた。実に哀れだった。

右の証言からすると、一九四四年の遅くとも九月には、辻の遊女たちに軍と一緒に行動するようにとの命令が出ていたことが解る。そしてかき集められた彼女たちは、「辻」の女としてではなく「慰安所」の女、いわゆる「慰安婦」として扱われたのである。

「幻影のゆくえ」は、そのような「慰安所」と関わる問題を一切排除していた。作者が、「慰安所」の所在、及び辻の遊女たちがそこに送り込まれたということに、疑問を持っていたということではないはずである。

そのような問題があることは周知の上で、あえて、その問題を回避したようにみえるのである。それは、トミ子を「一四歳」にしたことに表れていたが、それとともに、「辻の遊女」たちについて見落としがちな問題を浮上させたかったのではなかろうか。

大城立裕は、ある遊女の話を聞いたことがあるという。そして、その「性のノルマには聞くにたえないような厳しさ、酷さがあったようである」と述べ、「旅人や地元の遊治郎たちが愉しんだ情緒のかげに、彼女たちが身を殺してしつけられた、あるいは監視の下で金の世の中に奉仕した運命があった」のだと指摘したあとで、次のように書いていた。

この運命を、十・十空襲が断ちきってくれた。辻遊郭ももちろん全焼し、半年後には米軍上陸である。そのまま、遊女も抱親もなく避難、敗走の数か月となった。ある女は、やむをえない事情から抱親を、今度は自分が抱えて島尻の戦野をさまよった。生活力のある行動的な女性であった。彼女は恩讐をこえて抱親を傷病餓死から守りぬいた。そして捕虜収容所までたどりついた。敗戦後の収容所で、ひとびとは虚脱と価値観の転倒で、いろいろ生活態度をかえた。女たちのなかには、米兵に身を売って煙草一カートン（十個入り。これをなぜか沖縄では一ボールとよんでいた）そこらをもらってくる者が少なくなかった。かの主人公の抱親はこの段階までくると、彼女にも世間のひそみにならって、煙草でも稼いできてくれないか、と言った。彼女は、それをことわって、ほとんど叫ぶように言った。「私はもう、あなたの子ではないのですからね」と。こうして、辻遊郭の遊女たちにとって、戦争は解放の天祐であったようである。戦争があってよかったというつもりは毛頭ないし、戦前の辻遊郭の情緒をなつかしげに回想するのを、感情として無理に排する気もないが、彼女たちの人生ということをめぐって、この歴史をかえりみると、事は単純ではないし、そこまで下りて考えると、その歴史もまた生きてくる、と思うのである。

大城には、そのように、遊女たちにとって「戦争は解放の天祐であった」のではないかといった、思いがあった。しかしそれは、大城がことわっている通り、「戦争があってよかった」ということではは勿論なく、みじめすぎる生き方から解放された、彼女たちの人生を、祝福する気持ちから出た率直な感想であった。

大城立裕は、『普天間よ』の「あとがき」で「よくある『悲惨な戦場』を書くのは他に任せて、自分は違う戦争を書こう、と考えた」といい、「私の場合、志を立てて沖縄の戦争を小説に書くことは、『生活の場が戦場になるとは如何なることか』という問いを発することからはじまった。具体的な答えの一つは、社会の制度や文化が壊滅するということであった」と書いていた。

「幻影のゆくえ」は、言ってみれば遊郭の「制度や文化が壊滅」したことを書いたものであった、といえないこともないであろう。そしてそれは、遊女の解放という大きな社会的な問題を浮上させたが、そのことで、大城には新たに書かなければならないものが見えて来たのである。

○

「幻影のゆくえ」が発表されたのは二〇一〇年である。その三年前の二〇〇七年『うらそえ文芸』は、特別企画として「辻文化とは何か」と「船越義彰を語る」の座談会記事を組んでいた。絶妙な組み合わせになった「特集」であったように思えるのは、船越が、遊女を扱った小説を書いていただけでなく、辻に特別な思いを寄せていたといったことがあるからである。

「船越義彰を語る」では、当然のごとく、遊女を扱った彼の代表的な作品「小説　遊女たちの戦争　志堅原トミの話から」が取り上げられていく。

星　「遊女たちの戦争」にはチージのことがふんだんに出てきますね。

幸喜　あれは宝ですね。あの知識は。
崎間　細々とね。彼ほどいろいろと調べた人はまずいないでしょう。
大城　しかも知識人としてその知識を整理していた。文化的、歴史的な意味につなげて、話題にしていました。
星　少年時代、私は波之上通りの若狭町の方に住んでいましたから、向かいには後道と中道が覗いていた。そのあたりの地形は、スージ小から辻原墓地までよく遊びましたから、なじんでいた。だから船越さんの文章を読むと、一緒に歩いているような錯覚におちいりました。
幸喜　先生の文章で、那覇を知らない私たちでも読んでよくわかる。チージの遊郭の話も。
大城　彼が書く辻の話はね、後世とても貴重になります。

「辻と船越文学」の項で、「遊女たちの戦争」について交された会話の部分である。その後の「大衆性と情の文学」では、星と大城の間で、次のような会話がなされていた。

星　なるほどね。ジュリの話の、「遊女たちの戦争」では、戦争を舞台にしていながら中にはいろんな風俗も入れてふくらませて、ドキュメンタリーフィクションになっていますよね。大城先生、あの小説についてでもいいし、船越さん、彼の小説について何か触れていただけませんか。

大城　すぐ「情緒」という言葉が出てきますが、彼は情の人であり、情緒を大切にする作家です。新聞の連載小説もあるし、書き下ろし小説もあるわけですけどね。また戦争ものと、それから正直に恋愛小説は難しいよと言っていたんだけども、ほんとに臆面もなくロマンを語る人でしたよね。

大城は、船越の、遊女からの聞き書きといった形をとった作品について、語ろうと思えばいくらでも語れたと思うが、ほとんど聞き役にまわっている。そのような場において決して寡黙ではないといっていい大城が、遊女を扱った作品について、ほとんど語ることをしていないのである。船星もそのことを感じたようで、直接、大城に発言をうながすように「ところでどうですか、船越文学を簡単に一言でいえばどういうふうに…」と問いかけていた。大城はそれに対して「叙情、臆面もなく叙情を押し出す文学ですよ」と、まさしく「一言で」答えていた。

船越の文学は、確かに大城が「一言」で答えていた通りであるといっていいし、「遊女たちの戦争」にはそれがよく現れていた。

大城は、船越が「遊女たちの戦争」を発表するはるか以前に、辻遊郭について書いた随想を発表していた。大城は、そこで、いちはやく辻の遊女たちの「運命を、十・十空襲が断ち切ってくれた」といい、「辻遊郭の遊女たちにとって、戦争は解放の天祐であったようである」と述べていた。

ほぼ同じようなことを、船越は、大城とは異なるかたちで、次のように書いていた。

「二人は、もう、ジュリでも慰安婦でもない。ただの女としてニングル（ねんごろな人。ここでは愛人）と会っているのよ。いいわねぇ」

これが、「ジュリでも慰安婦でもない、ただの女」という新鮮な言葉との出会いでした。辻も慰安所も焼けてしまった。ジュリも慰安婦も、もういない。

「私もただの女なのですね」

思わず口をついて出た言葉でした。

「そうですよ。トミちゃんは未だ辻のチュラジュリのつもりでいたの」

マカテー姉さんは笑いながら私の肩をたたきました。目が覚める思いでした。

「でも皮肉なものねぇ。戦争という一大事なことが起こったために、辻も慰安所もなくなった。私たちはただの女になって、世の中に放り出されたことになるねぇ。戦争に感謝すべきかどうか、奇妙な話じゃない？」

戦争は、生き残った遊女たちを、「ただの女」にした。それは、大城がすでに指摘していたように「天祐」であったといっていい。船越は、大城の「天祐」を、そのように「ニングル（ねんごろな人。ここでは愛人）と会」うことができるようになったといった形で表していた。

大城と船越には、敗戦が遊女たちにもたらした出来事について、ほぼ共通する認識があったのである。大城が、船越の「遊女たちの戦争」について、ほとんど口を出してないのは、そのような事情があってのことに思えるが、船越の作品は、しかし、あらためて大城に、遊女についての作品を書くきっかけをあたえたのである。

「幻影のゆくえ」はそのような経緯があって書かれたといっていいが、大城がそこで見つめようとしたのは、「十・十空襲が断ちきってくれた」運命の行方とでもいっていいものであった。

○

大城立裕は、一家の逃避行の物語の最後に、母と祖母の住む村を目ざして砲弾の中を去って行くトミ子の姿を描いていた。トミ子が無事に生き残ることが出来たかどうか、誰にも分らないが、トミ子が、生き残っていたら、こんな戦後を生きたに違いないと思わせるような著書が刊行されていた。

正子・R・サマーズの『自由を求めて　正子・R・サマーズの生涯』と真喜志きさ子『母の問わず語り―辻遊郭追想』である。

「幻影のゆくえ」から七年たった二〇一七年、偶然といっていいだろうが、二つの元遊女の自伝と聞き書きが刊行されたのである。前者は九月、後者は一一月に刊行されているが、それぞれの作品の主人公ともいえるサマーズと上間初枝とは、これまた偶然とはいえ、幼少時ともに「並松楼」に売られ、育った同士であった。

サマーズが、第62師団とともに浦添に行ったのは、先に引用した通りである。自伝と似た個所が『母の問わず語り ― 辻遊郭追想』にも出て来るが、そこでは、次のように語られていた。

慰安所の管理もしていた上野参謀長に美智子さんが先回りして頼んでいたとも知らず、つる抱母は母（上間初枝―引用者注）を連れて面接を受けました。慰安所が設立されてからというもの働きたいと自ら申し出る者も少なくなかったようで、母は抱母と共に長い間待たされたといいます。

母やがて事務所に入ると、大佐は上野大佐が机の上に積まれた書類に目を通していたそうです。ツル抱母が持ってきた書類（履歴書でしょうか）を見せると、大佐は母を見て、慰安所で働くには幼すぎると抱母に言います。それでもツルは何とか許可を得ようと喋りまくるので、大きな声で、抱

「アンマー、そんなに金が欲しいのか」

と一喝すると、札束を机の上に叩き付けたのです。その剣幕に恐れおののいたツルは、

「失礼しました」

何度も頭を下げてほうほうの体で部屋から出て行ったのでした。（中略）

その日から母は、マサコさんの部屋で寝起きするようになり、昼は軍人会館でウエイトレスをし、夜は将校たちのためにマサ子さんと琉舞を披露したのでした。

上間は、まだ幼かっただけでなく、マサコさんの保護もあって、客を取ることからまぬかれる。

そして、アメリカ軍の上陸後は、砲弾をのがれるための苦労を、他と等しく味わうことになる。

サマーズも上間も、戦後はそれぞれの道を歩む。一方は国際結婚第一号として、米人の嫁となり渡米、画家として身を立て、一方は、乙姫舞踊団の一員として活動し、乙姫劇団の男役として一世を風靡する。

彼女たちには、終世遊女という肩書がついてまわったといっていいが、辻から解放されたことで、それぞれに独自の道を切り開いていった。そしてそれは、彼女たち二人だけではなく、多くの元遊女たちについてもいえることである。

戦前の作家はともかく、戦後を代表する作家大城立裕、そして船越義彰が、遊女の物語を書いたのは、サマーズや上間の生き方を見たり聞いたりしていただけでなく、身近に接して感じるところがあったからではなかろうか。彼女たちは、少なくとも沖縄の「文化」の大切な部分と関わるかたちで、戦後を生き切った人たちであったし、大城にも、船越にも、彼女たちがそのように生きたことを知ってほしいという思いがあったのではなかろうか。

大城も船越も、敗戦は遊女たちにとって「天祐」であったとし、船越は船越のやり方で、大城は大城のやりかたで、それぞれの方法に即して「遊女」を書いていたのである

◆コラム　大城立裕の琉歌

大城立裕の『自伝琉歌集　命凌じ坂』を読んでいて、次のような歌が目にとまった。

280　「里やわが宿に待ちゅら」んでぃ言ゆしが　今まじゅん居しやあんしぇー誰やが

大城は、この歌を「「彼は私の家に待っているだろう」と言うが、では今一緒にいるのは誰か。（古歌「月ん眺みたいでぃちゃよ立ち戻ら　里やわが宿に待ちゅらでむぬ」の本歌取り）」と注釈していた。

「本歌取り」は、歌を詠む際の、一つの方法として、よく知られている。大城が拠った古歌は、琉歌に馴染みのあるものならすぐに思い浮かぶものであり、あえて「本歌取り」だと注釈するまでもないかと思う。大城の、律義さの表れであろう。それはそれで、大城を知るうえで大切な一点となっているが、注釈以上に、この歌は、大城の創作の秘密、というと大げさだが、大城の視線の向かって行く方向を、よく示すものとなっていた。

大城が参照した古歌を読むにあたって、一般の読者は、「では今一緒にいるのは誰か」などと、そんなことなど考えずに、弾む乙女の心に寄り添っていくような、もう少し素直な読みをするのではないかと思うのである。

また、琉歌に多少関心のある者なら、「ねやの戸よあけて里待ちゅる夜や花の露待ちゅすかにがあゆら」といった歌を思い浮かべ、「待ちゅる」主体の相違と、そのことによって生じる情感の差異について思いをめぐらすといったようなことをするのではないかと思うのだが、大城は、そのいずれでもなかった。

大城は、これからのことではなく、今を知りたいのである。女は、今、誰と月を眺めていたのか、と考えるのである。

かせもかけ満ちてでかやう立ち戻ら里やわが宿に待ちゆらだいもの

大城が拠った本歌と同工異曲の一首だが、今、女が宿に戻っていく理由ははっきりしている。そしてその仕事を、女は、誰と一緒にしていたかなど問うまでもない。大城は、そのような歌をとらないのである。

歌の良し悪しではない。空白の部分が多く残されている歌に、大城は、関心があるのである。作家・大城の目の付け所を教えてくれる一首である。

III　個別の章

沖縄戦をめぐる言説
―「白い旗の少女」をめぐって

はじめに

一九五〇年八月一五日『沖縄戦記　鉄の暴風』、一九五一年七月一〇日『沖縄の悲劇 ― 姫百合の塔をめぐる人々の手記 ― 』そして一九五三年六月五日には『沖縄健児隊』が刊行される。一九五〇年代に入って相次いで刊行された三冊の沖縄戦関係図書は、最初の一冊が「住民側から見た」記録になるものであり、二冊目が女子「生徒の手記を集めて編纂」されたものであり、そして三冊目は「沖縄師範学校男子部の職員生徒隊」の手記を集めたものであった。

三冊の戦記は、そのように異なる体験記録をそれぞれに纏めたものであったが、そこには共通して強調されていたことがあった。

①幸か不幸か、当時一県一紙の新聞紙として、あらゆる戦争の困苦と戦いながら、壕中で新聞発行の使命に生きた、旧沖縄新報社全社員は、戦場にあって、つぶさに目撃体験した、苛烈な戦争の実相を、

世の人々に報告すべき責務を痛感し、ついに、終戦四年目の、一九四九年五月、本書編集を、旧沖縄新報社編集局長、現沖縄タイムス社理事豊平良顕（監修）、旧沖縄新報社記者、現沖縄タイムス記者牧港篤三（執筆）、現沖縄タイムス社記者伊佐良博（執筆）、の三人に託し、一年を経て、上梓の運びに至った。

②この記録は文学でもなく、生き残った生徒の手記を集めて編集した実録であり、氏名も日時も場所も正確を期した。

③私達はこの本の、表現や文章の巧拙は兎も角として、読者に願うことはこゝに記された事実そのものに目を向け、声なき人々の声をきいていたゞきたいということであります。

①は、『沖縄戦記　鉄の暴風』の「まえがき」、②は『沖縄の悲劇 ― 姫百合の塔をめぐる人々の手記 ―』の同じく「まえがき」、③は『沖縄健児隊』の「はしがき」に見られるものである。三冊ともにその序言で、収録した証言や手記が「実相」であり「実録」であり「事実」であることを強調していた。そしてそれは、三冊だけでなく、恐らく沖縄戦の証言を収録した編著に共通して見られるものであるといっていいだろう。

戦記、とりわけ戦争体験記録が「実相」「実録」「事実」に基づいていることを強調しているのは不思議なことではない。戦場の現場は、信じられないような出来事が次から次へと起った。その信じがたい出来事を写し出そうとすればするほど「事実」だといい「実録」だといい「実相」だということを強調しなければならなくなるはずである。

しかし、「事実」だといい「実録」だといい「実相」だといわれた記録が、必ずしもそうでない場合が多々あった。

その一つが、座間味島で起った事件の場合である。


母が私に、「『悲劇の座間味島』で書いた『集団自殺』の命令は、梅澤隊長ではなかった。でもどうしても隊長の命令だと書かなければならなかった」と語りだしたのは、一九七七（昭和五二）年三月二六日のことだった。

その日は、座間味島で「集団自決」をした人たちの三三回忌であった。


宮城晴美は『母の遺したもの　沖縄・座間味島「集団自決」の新しい証言』（二〇〇〇年一二月六日、株式会社高文研）の中で、そのように書き、その後で、

慰霊祭が終った日の夜、母は私に、コトの成り行きの一部始終を一気に話しだした。梅澤戦隊長のもとに「玉砕」の弾薬をもらいに行ったが帰されたこと、戦後の「援護法」の適用をめぐって結果的に事実と違うことを証言したことなど、そして「梅澤さんが元気な間に、一度会ってお詫びしたい」とも言った。（中略）

しかし、「事実」を公表するには助役の宮里盛秀の名をあげなければならず、それをすれば助役の遺族に迷惑がかかってしまうと、母は苦しみを一人で背負っていた。

と続けていた。

座間味島で起こった「集団自決」は、「梅澤部隊長」の命令によるものであると証言した当の本人が、「三十三」年目になって、それは「事実」ではなかったと語ったというのである。

座間味島の戦争記載に関していえば、「自決命令」を下したとされる「梅澤部隊長」について、『鉄の暴風』の初版は、「隊長梅沢少佐のごときは、のちに朝鮮人慰安婦らしきもの二人と不明死を遂げたことが判明した」と書いていた。

「隊長梅沢少佐」の「不明死」記載は、単純な誤りであった。『鉄の暴風』は、のちその部分を削除することになるが、「命令」に関しては、単純な誤りとして片付けられるようなものではない。そこには、戦争のもたらしたむごたらしい現実が鮮明に映し出されていた。

『母の遺したもの』や『鉄の暴風』に見られる事例からわかるように、戦記が強調している「真相」「実録」「事実」について、あらためて検証しなければならないことが多々あるといっていいし、そこにはさらに、次のような問題もあった。

（生き残ってから後の或る日、フト私は増永隊長の命令とこの叱責を心の中で反芻してハッとした。

逃げるとか生きるとかいうことを絶対のタブーとした日本軍隊のあの厳しい軍律の中で、隊長は暗黙の中に私達に何を命じたのかに、やっと気がついたのだ。年少のために、その時は、私達は隊長の真意を了解し得なかったのだ）

『沖縄健児隊』に収録された大田昌秀の「血であがなったもの」の中に見られる一文である。大田はのちその部分を収録した『沖縄のこころ— 沖縄戦と私—』（一九七二年八月二一日、岩波書店）を刊行するが、同書ではその部分が削除されている。削除は、大田が、沖縄戦を研究していく過程で判明した結果に基づいてなされたものであった。それは、人間的な観点に立ってなされていた戦時の言動の解釈が、いかに甘いものであるかということを知らされたことによる苦い削除であった。[1]

「真相」だと思って書いたことが、実は誤りであったということを、大田の削除は見事に語るものとなっていたといっていいだろうが、戦記は、またそのように書き改められていくなかで「事実」が再浮上してくるものでもあったのである。

1、「りゅう子の白い旗」をめぐって

太田昌秀は、「血であがなったもの」を発表して以来、同手記を踏まえて『沖縄のこころ』『沖縄健児隊』そして『血であがなったもの　鉄血勤皇師範隊　少年たちの沖縄戦』（二〇〇〇年七月

三一日　那覇出版社）を刊行しているが、その過程で、一九七七年九月七日『写真記録　これが沖縄戦だ』を刊行している。写真は、米軍によって撮られたものを、大田が独自に調査し、収集したものので、これまで知られてなかったのが数多く集められていた。

その一枚である白い旗を掲げた少女の写真も、大田の写真集で初めて紹介される。[2] 大田がその写真を貴重な一枚だと認識していたことは、『鉄血勤皇隊』の巻頭に使っていることから窺える。その白い旗を掲げる少女の姿が、やがて記録映画で紹介されるに及んで大きな反響を呼んでいく。[3]

文・新川明　版画・儀間比呂志の『りゅう子の白い旗　沖縄いくさものがたり』（一九八五年八月一日、築地書館）も、その反響の一つであった。

『りゅう子の白い旗』は、「いまから四十年まえのお話です」として、戦争のあった「島」の紹介から始まる。

からだの中まで青く染めてしまいそうな
ふかい色をした空と海につつまれて
りゅう子の島はうかんでいました。

書き出しの部分である。

『りゅう子の白い旗』の「文」を担当した新川は、「島」を紹介していくのに「りゅう子の島」

と書いていた。「りゅう子の島」が、どの「島」を指すのかは、その後に続く古語、生物、植物、果実、習慣、産物、芸能、自然等の描写によって明らかである。

新川は、なぜそれを明示しないで「りゅう子の島」としたのだろうか。勿論、それは、そのような表現をすることで主人公を前景化したということはあるが、少なくとも、沖縄の表現を見続けてきたものには、興味深いものがあるはずである。

それは他でもなく山之口貘の「会話」を思い起こさせるものがあるからである。「沖縄」といわずに「沖縄」を鮮明に映し出していく、いわば迂回的な表現になる「会話」の方法を用いて書かれたもので、そのことを下敷きにすることで、沖縄の悲劇の多層を示唆しようとしたといえるのである。

そしてそのような重層化は、例えば、「鉄の暴風」と「暴風雨」とを併記しているところにも現れていよう。

「りゅう子の島」の紹介のあと、いわゆる「十五年戦争」が「アジア・太平洋戦争」であったことを国名、地域名を列挙していくかたちでそれとなく示す。

やがて「りゅう子の島」にも「日本軍」がやってきて、戦争の準備を始める。そして「お前たちを守ってやるから心配するな！」というセリフが記され、沖縄戦の前兆となる那覇を潰滅させた十・十空襲に触れたあと、日本軍が吹聴したあと一つのセリフ「上陸してきたら、やっつけてやる！」という言葉を記してある。二つの言葉は、「日本軍」の言動を映し出していく際、落とす事のできない用語であった。

アメリカ軍の上陸と日本軍の作戦についての説明がなされ、りゅう子たちが住む村も危なくなってきたところで、りゅう子と彼女の家族が登場してくる。りゅう子の登場は、避難のため家を離れていくところから始まる。

りゅう子には祖父母がいる。二人は、先祖を祀ってある家を離れることはできないとして留まることになり、りゅう子は母と弟の三人で村を出ることになる。父が登場しないのは、「召集」されたことによるが、それはからずも老人、女性そして子供といった戦う術を持たない弱い立場にある者たちが、置き去りにされたことを示していた。

村を出たりゅう子たちは、南に向って歩き続ける。りゅう子たちの避難行は、すでに村人が逃げ出した小さい村で空き家を見つけて隠れることから始まる。そして畑のあぜのくぼみ、お墓のなか、焼け跡の村の石垣のかげといった避難経路をたどっているうちに、アメリカ軍の防衛線に近づいてしまう。

森を抜け、原っぱを横切っている途中で、アメリカ軍の張り巡らした防備線に触れ、機関銃が打ち出され母と弟が犠牲になる。かろうじて生き残ったりゅう子は、その後ガマを見つける。入ることを許されただけでなく、祖父と遭遇する。そこへ、アメリカ軍が近づき攻撃を始めるとともに、投降呼びかけが始まる。ガマに潜んでいた隊長は、りゅう子に白い旗を持たせ、外に押し出す。りゅう子の後に日本兵たちが続く。

りゅう子の「戦争」は、そのようにして終る。

『りゅう子の白い旗』は、米軍に追われるようにして村を出て、戦場を逃げ惑い、辛うじて生き残り、白い旗をかざしてガマを出ていくまでを書いているが、そこには、次のような光景が映し出されていた。

1、南部の村人たちが逃げ出した村
2、墓に隠れている人々
3、食糧の調達
4、日本兵たちの南下
5、アメリカ軍の偵察機トンボの飛来
6、砲弾で吹き飛ばされた墓のあとに転がっている死体
7、赤ん坊を抱いて子守唄を口ずさんでいる「女の人」の魂が抜けたような姿
8、作戦の邪魔だから墓から出て行けと迫る日本兵
9、「女の人」をスパイだといって斬ってしまう日本兵
10、母と弟の死
11、死体の乳を吸っている赤ん坊
12、池の周りで死んでいる日本兵、三つ編みのお姉さん

13、ガマに入るのを拒否する女の人
14、祖父との再会
15、日本兵の闖入、「沖縄語」を使うものはスパイとして処刑するとおどす日本兵
16、兵隊たちとふざけあう女
17、スパイ容疑で男の人を殺そうとする日本兵を方言で止めようとする祖父
18、アメリカ軍の攻撃と投降呼びかけ
19、おびえる日本兵
20、白い布を取り出しりゅう子に渡す隊長
21、武器をガマの奥に隠す日本兵
22、りゅう子を外に押しやる隊長
23、白い旗をかざすりゅう子
24、笑っているアメリカ兵
25、両手をあげてりゅう子のあとについてくる日本兵
26、風にはためく白い旗

『りゅう子の白い旗』は、りゅう子の「戦場」を描くのに、そのような情景を取り出していた。沖縄戦を描いていくさい、必ず取り上げられていく情景というものがある。アメリカ軍の砲撃によ

る死者と死者の乳房を吸う幼児、見捨てられる幼児、日本兵による壕追い出しやスパイ容疑による斬殺、非戦闘員の「集団死」、慰安婦たちといったのがそうであり、『りゅう子の白い旗』も、当然それらを取り上げていた。

『りゅう子の白い旗』は、しかし、ただ単に沖縄戦を描いただけのものではなかった。それは「いまから四十年まえのお話です」と始まっているように、回想された沖縄戦といっていいものであった。そして、四〇年前の出来事が鮮明なのは、そのときのことが片時たりとも、心から離れたことがないということを示すものであった。『りゅう子の白い旗』が、単に戦場を描いた作品と異なるのはその点にあった。

りゅう子のねむれない夜は
りゅう子だけの夜ではありません。
たくさんのおかあさんが、おなじように
それぞれのくらい夜をだきしめながら
深いやみをみつめているのです。
めぐってくる季節といっしょに
きえることのない思いがよみがえって
つらくて重い夜がつづくのです。

最後の一節である。りゅう子が、四〇年たっても、戦争のあった時期になると、眠れなくなるのは「おかあさんと和男のすがた」や手をさしのべてくる「赤ん坊」や「首のない　やけぽっくいのような　死体」や「血に染まった池」にゆれる「赤い月」や「日本兵のおそろしい顔」が甦ってくるためであるが、それは、決してりゅう子だけのものではなく、沖縄戦を体験したものの多くにみられるものであるということである。

「いまから四十年まえのお話です」とはじめ「戦争がおわって四十年」と締めくくったのは、他でもなく「戦争」が一過性のものではないことを示すための工夫であったが、そのことで、大切な問題が浮かび上がってくることになる。

それは、四〇年たって選び取られた「戦場」という問題である。

物語は、記録映画の一つの場面が語りかける衝撃的なメッセージをモチーフにしましたが、映画の少女の実体験をそのまま再現したものではありません。そのため、実在する映画の少女には、あえて直接の取材はしませんでした。

新川明は『りゅう子の白い旗』の「あとがき」でそのように記していた。作品は、「実在する映画の少女」の実際に体験した「戦場」を描いたものではないということであることからして、「りゆう子」の戦場は、新川そして儀間の「記憶」のなかにある「戦場」から選ばれていたといっていい。

では、実際に体験した「少女」の「戦場」はどのようなものであったのだろうか。

2 『白旗の少女』をめぐって

比嘉富子の『白旗の少女』が刊行されたのは一九八九年四月二〇日、『りゅう子の白い旗』が刊行されてから四年経っていた。

比嘉は、一九七七年、洋書店で「三角形の白旗をもった少女」の写真を見つけたこと、[4]一九八四年テレビで紹介された記録フィルムで「白旗をもった少女」が紹介されたこと、一九八七年一〇月、「白旗の少女」が自分であることを告白したこと、[5]一九八八年六月一一日、ニューヨークで行われた平和行進に参加して「白旗の少女」を撮ったカメラマンを探していることを訴えたこと、[6]その年、念願であった「白旗の少女」のスチール写真を撮った写真家に対面できたこと、[7]そして「四十三年ぶりに肩の荷がおりた。でも、これでわたしの沖縄戦がおわったわけではない。あんな不孝なできごとをくりかえさないためにも、あの体験を語りつがなければ……」と「心にきめた」ということを記した「まぶたのカメラマンをさがしもとめて」を巻頭において、『白旗の少女』を、その生い立ちから書き始めていく。

比嘉は、「九人きょうだいの末っ子」であった。九人のうち年長の姉二人が嫁にいき、年長の兄二人は兵隊にとられ、もう一人の兄が内地に出稼ぎに行っていて、家には四名の兄弟と両親とが暮らしていたが、米軍の空襲が始まっていく直前の一九四四年三月母が亡くなる。

米軍が沖縄に上陸し、比嘉の住む首里にもアメリカ軍の攻撃が始まった五月一〇日前後のある日、軍の「食糧集めの仕事をひきうけていた」父が家を出て行ったまま行方がわからなくなる。父の安否を尋ねにいった姉は、何の手がかりも得られなかった代わりに、首里は激戦地になるという情報とともに、一刻も早く南に逃げるようにいわれて戻ってくる。四名の子供たちは、父が出かける日の朝言っていた言葉を思い出し、家を後にする。

『りゅう子の白い旗』は、祖父母が家に留まり、母親とりゅう子と弟の三人が南部に逃れていく設定になっていた。『りゅう子の白い旗』が、「白旗の少女」をモチーフにしながら、全く別の物語になっていることは、その一点にもよく現れているが、なぜ祖父母を設定する必要があったのだろうか。

それは、当時の家が、複数世代同居を普通にしていたということを踏まえているのだろうが、そのことよりも、沖縄の習俗・文化を照らし出すための方策、とりわけ方言の問題を際立たせるために設定されていたとみることができる。

『白旗の少女』は、子どもたち四人で家を後にする。その経緯は、おおよそ次のようになっている。

1、南へ

2、壕やガマに身をひそめる

3、瓦屋根の家に泊まるのを断られる
4、ガマに身をひそめる
5、父を探す
6、海岸へ出る
7、浜辺で砂を掘ってねる
8、兄の死、埋葬
9、姉達にはぐれて、一人になる
10、戦火から逃れるつもりで、戦場のど真ん中をさまよう
11、アリの群がる死者の雑嚢を開ける
12、ネズミに出会う
13、ウサギに救われる
14、姉たちをさがして壕から壕へと声をかけて歩く
15、日本刀をふりかざした兵隊に追われる
16、崖から落下する
17、川に出る
18、海に出る
19、穴を見つける

20、ガマに入る
21、おじいさん、おばあさんとの三人の生活が始まる。
22、米軍の投降呼びかけが始まる
23、フンドシで三角の旗をつくる
24、ガマを出る
25、白旗を掲げて歩く
26、写真を撮られる
27、日本兵との合流
28、名前、住所を聞かれる
29、姉たちとの再会

「白旗の少女」のたどった経路を示せば、ほぼそのようになるであろうが、忘れてならないのは経路ではなく、彼女が遭遇した戦場の出来事である。そのことについて、彼女は「その不気味さとおそろしさは、いまでさえ、思いだすとぞくっと背筋が寒く」なるとして「昼間は、行く先々に掘ってある壕とか、ガマをみつけて身をひそめ、夜になると歩きだすのですが、すこし歩くと照明弾があたりを真昼のように照らしだし、たちまち砲弾が飛んで」きたことや、「いまもってわたしの目に焼きついてはなれず、ときどき夢にまで見るおそろしい光景」として「それは、砲弾の破片か爆風にでもやられたのでしょう、胸から血を流してぐったりとしている母親の胸で、その流れる血をすすっている一歳くらいの赤ちゃんの姿です。わたしは、それを目のあたりにした瞬間、その場に立ちすくんでしまいました。／赤ちゃんは、わたしたちをみつけると、口といわずほほといわず、顔じゅう血まみれにしながら、『だっこして』とでもいうように、両手をのばしてくるのです。その両手も母親の血で真っ赤にそまっていました」といった光景、「四十数年たったいまでさえ、夢のなかにあらわれて、わたしを苦しめる」ものとして「どろんこの手でわたしの足首をつかみ、虫の息であったにもかかわらず、日本軍の優勢をよろこび、日本の勝利を信じつつ、最後の気力をふりしぼって、『バンザイ！』といって、息をひきとった」兵隊のこと、また「なかでも、忘れることができないのは」として「日本刀をふりかざした兵隊さんに追われ、もうすこしできりすてられるというめにあった」といったこと、さらには「そのときのことを、なんと表現したらいいのでしょう。地獄図絵……。そんな言葉でしか、いいあらわせないような光景でした」として「はなれたところから、ようすを見たときには気づかなかった兵隊さんもいました。おじいさんもいました。子どもをおんぶしたままのお母さんがいました。子どももその背中で死んでいました。川のなかほどを、流れのあちらこちらにある石にさまたげられながら、ゆっくり川下へと流されていく死体もありました。ぜんぶで、およそ百人ほどの人たちだったでしょうか。その人たちのなかに、ヨシ子姉さんがよくやっていた、髪を三つあみにした若い女の人がいました」といった出来事をあげているが、彼女が遭遇したのはそのような光景だけであったわけではない。

彼女が遭遇したその他の出来事をあげていけば、次のようになるであろう。

1、とつぜん、頭の上でものすごい爆発音がしたかと思うと、全身火だるまになった人が、山の斜面をころがり落ちていきました。

2、五、六人の兵隊さんがやってきて、「どけどけっ。ここでまもなく戦闘がはじまるぞ。はやくほかへいけっ！」と大声でどなりました。

3、わたしは、夜になるのを待てず、まだ日のあるうちからガマをぬけ出し、あちこちのガマからガマへとわたって、「ネエネエッ、ネエネエッ。」といいながらのぞいては、先にガマに住んでいる人たちから、シッシッと、まるで犬か猫のように追いだされるしまつでした。

4、じっと見つめていると、幽霊だと思ったのは、人の上半身で、白いのは、兵隊さんたちがよく着ている襦袢、木綿製の下着のシャツでした。そして、ゆらゆらとしていたのは、一人の兵隊さんが、前こごみになってもがいている姿でした。

なんであんなことしているのかな、とさらに目をこらすと、その人は、自分で自分の腹を短剣で切っていたのです。そして、死にきれずに苦しんでいたのです。「うーん、うーん。」という、うなり声が聞こえました。そしてそのうしろを見ると……。

あっ、もう一人兵隊さんがいたのです。その兵隊さんは、日本刀をもっていました。そして、苦しんでいる兵隊さんのうしろに立って、両手をあわせておがむと、もがいている兵隊さんの横に立ち、刀をあげました。

月明かりに、日本刀がギラッと光りました。

5、「ねぇ、そこの女の子。逃げるなら、いまのうちよ！　もうすぐ入り口をふさいで、爆弾でみんなが死ぬのよ。それとも、わたしたちといっしょに死ぬ？」

わたしは、びくっと体をふるわせて、あわててガマをとびだしました。そして、できるだけ遠くへ逃げようと、崖をすべりおりました。

しばらくすると、うしろで大きな爆発音がして、谷間にゴウゴウとこだましました。

「少女」の戦場彷徨は、「切断された両手、両足」を白い布で巻いたおじいさんと「目が見えない」おばあさんとが避難していたガマに入ったことによって終わる。そこは「少女」にとって「心安らぐ天国のようなところ」であった。そして「しみじみと幸福感を味わう」ことができたが、ときおり「忘れることのできないさまざまな、恐ろしい光景」が思い浮かんできたとして、さらに次のような出来事が語られていた。

6、わたしは、一つのガマをみつけると、足音をしのばせ、姿勢を低くしてガマの入口に近づいていきました。そのとき、ガマの中から赤ちゃんの泣き声がしました。そして、その声がだんだん近くに聞こえてくるのです。わたしは、とっさに物かげに身をひそめて、ガマの入り口をじっと見つめていました。

するると、大声で泣きつづける赤ちゃんをおぶった若いお母さんが、四、五人の兵隊に押し出されるようにガマの入り口にあらわれました。お母さんは、ガマの中を指でさしながら、兵隊たちに何度も何度も頭をさげていました。きっと、中に入れてくださいとお願いしていたのだと思います。

しかし、兵隊たちは、お母さんを入れるどころか手で追いはらい、とうとうお母さんは、ガマの外に追い出されてしまいました。

お母さんは、ガマの入り口のところでしばらく立っていましたが、やがてあきらめたのか、首をうなだれて歩きだしました。

「危ないよ、そんなふうに立って歩いていては危ないよ。」

わたしは、思わず心のなかでつぶやきました。

そのとたんです。ダダダッと機銃の音がしました。

お母さんの体が、クルクルクルッとコマのようにまわったかと思うと、バタッとたおれて、そのまま動かなくなりました。その背中では、赤ちゃんがまだ泣きつづけていました。

そのとき、ガマから黒いかげがツツッと地面をはうようにしてあらわれ、たおれているお母さんのそばにかけよると、その背中から赤ん坊をひきはなして、岩かげに走りこんでいきました。赤ちゃんの泣き声がしだいに遠くなっていって、急に泣き声が聞こえなくなりました。

7、わたしは、あるガマをみつけて、いつものように、注意ぶかく近づいていきました。すると、ガマの前の岩場に、おおよそ十五人ほどの兵隊さんがならんで横に寝かされ、日本刀を腰につるした一人の兵隊さんが、おそらく将校だと思いますが、その兵隊さんたちのそばを、いったりきたりしているのです。

「なにをしているんだろう?」

わたしは、大きな木の幹のかげに身をひそめて、ようすをうかがいました。

どうやら、横になっている兵隊さんたちは、かなり負傷しているようすで、だれもあまり動こうとしません。そして、犬がひくくうなるような声にまじって、大きな、どなり声が聞こえます。

「助けてくれーっ。」

と悲鳴のような声。

「はやく殺せえ。」

とかすれた声。

「はやくらくにしてくれよう。」

と、おなかの底からしぼりだすような声。そして、

「お母さん……。」

「……子、さようなら。」

と、息もたえだえにさけぶ声………。

もう、思わず耳をふさぎたくなるような悲しいさけび声でした。

すると、日本刀を腰にした将校が、

「すまん、弾がたりんのだ。これでがまんしてくれっ。」

というなり、ある兵隊さんの腰から短剣をぬくと、ならんでいる兵隊さんたちの左ののどをめがけてグサリと刺しました。

そのとたん、「ぐえーっ。」というか「ぐわっ。」というか、刺された兵隊さんがひと声さけんで、ぐったりと動かなくなりました。

「すまん、すまん、ゆるしてくれ。」

将校の人は、そういいながら、横になっている兵隊さんののどを一人一人短剣で突き刺しはじめました。

「やめろっ。やめてくれっ。」

とさけんで、おいおいと泣き出した兵隊さんもいれば、なんとか、はってでも逃げようとする兵隊さんもいました。

すると、将校の動きは、ますますはやくなり、まるで、えものにとびかかる猛獣のように、つぎからつぎへとかけ寄って短剣をふるうのです。

「少女」が、戦場で見たのは、そのような、兵隊たちのなんともいいようのない無惨な行為であったが、『白旗の少女』が、特異な戦記になっているのは、そのようなことを書いているところにあったのではない。

そのような光景は、沖縄の戦記をめくれば、どこにでも見られるものであるといっていいのであり、『白旗の少女』が他に類を見ないものになっているのは、一人だけによる戦場の彷徨のあと、おじいさん、おばあさんとのガマでの生活が始まったことによって起った出来事が記されている点にある。

アメリカ軍の投降呼びかけが始まると、おじいさんとおばあさんは、不自由な体で「三角の布」を作りあげる。そして「トミコ、ヒェーク、ウリ、ムッチ、ヒンギレー。(富子、はやく、これを、もって、お逃げ。)」といい、「富子、それをもっていけば、ぜったいに安全なのだ！ それが世界中の約束だから、ほんとうにだいじょうぶなんだ！」といい、さらに「いいかね、外に出たら、その白旗がだれからでもよく見えるように、高くあげるんだ。まっすぐにだ。いいかね。高く、まっすぐにだよ。」という。

「少女」は、おじいさんのいったことを守り、ガマを出て、「白い旗」を高く掲げる。

『白旗の少女』が、他の戦記と異なるのは、「白旗」が何を意味するかを知っていた人物がいたということと同時に、「白旗」が間違いなくその人物のいった通りのものであったということを伝えている点にあった。[8]

「白い旗」を高く掲げた少女の写真は、あと一つ別のかたちで撮られていた写真が記録映画として公開されるに及んで、大きな反響を呼び起こしていった。そして、写真の少女が名乗り出たことでさらに反響が大きくなっていったといっていいが、その反響の大きさを示すものの一つが『りゅう子の白い旗』であった。

3「白い旗」をめぐって

『りゅう子の白い旗』は、「白い旗」の場面を次のように描いていた。


つぎは、いよいよこちらのガマです。

日本兵たちは、おちつかなくなりました。

隊長も、さきほどとはうってかわって
おびえたように外のうごきをうかがっています。

「ここで自決しよう」

「いや生きのびてたたかうべきだ」

兵隊たちが、いいあらそいをはじめました。

「おとなしく出れば殺さないはずだよ」

「では、だれがさいしょに出るのか」

「こういうときは、兵隊さんがさきだよ」
ほかの人たちもいいあっています。
「あなたたちは、そんなに死ぬのがこわいの！」
りゅう子をガマに入れまいとした女の人がさけびだすと
隊長はあわてて雑のう（ものを入れる袋）から
白い布をとりだしていいました。
「ためしに子どもをさきに出してみよう！」

「デテコイ、デテコイ」
よびかける声が、ガマのそとできこえます。
日本兵たちは、いそいで軍刀や鉄砲を
ガマのおくにかくしました。
「デテコナイト、コウゲキシマス」
隊長は、りゅう子の腕をとって
ガマの出口にいくと
そとへおしやりました。

（二連略）

ふりかえると、日本兵たちが
両手をあげてついてきました。
おじいさんや女の人も
よろよろとつづいていました。
そのむこうに、ガマが黒い口をあけていました。

『りゅう子の白い旗』は、「白い旗」になる「白い布」を、隊長が「雑のう」の中から取り出したとしていた。そして、それを持たされたりゅう子は、隊長によって、外に押し出されたといったかたちになっていた。

『白旗の少女』と『りゅう子の白い旗』とは、そこが違っていた。前者は、命の大切さを作品の核にしていたといっていいが、後者は、日本兵批判を前面に押し出したものとなっていたといっていい。

白い旗を掲げる少女の記録映画を見て書かれた作品が、何故そのように日本兵の批判を眼目にした物語となっていったか。そのことを容易に解き明かしてくれるものとして、次のような一文がある。

画面で、白旗を掲げて先を行くのは幼い一人の少女である。やや遅れて日本兵が続く。前方には米兵が大勢待ち構えているだろう。

盛んに宣伝されたような〝鬼畜〟の米兵だとすればどんな事態でも起きかねない。しかし少女は助かった。日本兵も死なずにすんだ。兵士たちは少女の勇気に心打たれただろう。対して日本兵には侮辱の視線を向けたはずだ。

自身の生死が米兵の思うがままという危急の場面で、自らが先頭に立ちえず後ずさり、少女に付き従い命を請おうとする卑きょうさ。一方、白旗の意味を知っていたかどうなのか、いぶかわれる年端のいかぬ少女の行動は、自発的というよりきっと日本兵の言いつけがあってのことと見抜いたのである。

戦乱の中でいたいけな沖縄の一少女を利用し身を守ろうとする日本兵のやり口。それは現在でもヤマト国の安泰に必要とされる在日米軍基地のほとんどを押し付けておき、その危険性を真っ先に沖縄人に被らせている政府のやり方と根太くつなぎ合っている。

一九九九年八月一〇日付き『沖縄タイムス』の投稿欄「わたしの主張あなたの意見」欄に「白旗の少女と在日米軍基地」と題して掲載された宮城順盛の文章の全文である。

宮城もまた、少女の掲げている「白旗」は、日本兵によって持たされたものであるという推測をしているが、それは、少女の後ろに「やや遅れて日本兵が続く」かたちになっていたことに基づいている。宮城は、日本兵が「少女を利用し身を守ろう」としたと見たのである。

隊長の雑嚢から取り出された「白い布」を持たされ、外へ押し出されたと『りゅう子の白い旗』は書き、そして投書は「戦乱の中でいたいけな沖縄の一少女を利用し身を守ろうとする日本兵のやり口」と書いていたが、「事実」はどうだったのだろうか。

『白旗の少女』には、おじいさんのフンドシをおばあさんが歯で噛み切って三角形にしていく様子が書かれていた。「白旗」を掲げて出れば、殺される事がないということを知っていたのは、兵隊ではなくおじいさんであり、少女は、おじいさんに説得されて出て行ったのであり、兵隊に押し出されたのではなかった。

『りゅう子の白い旗』は、「事実」とは大きく食い違っていた。

『白旗の少女』の「あとがき」には次のような文章が見られる。

　沖縄戦の記録映画が公開されて以来、あの映画のなかで、白旗をもって投降するわたしのうしろから歩いてくる兵隊さんたちが、私を盾にしてついてきたかのように誤解されているのは、たいへん残念なことです。

　この兵隊さんたちは、わたしの歩いてきた道とは別の道を歩いてきて、偶然、一本道でわたしと合流した人たちでした。そして、二本の道が一本に合流するとき、わたしのほうが先に一本道に入ったため、あたかも白旗をもったわたしを弾よけにして、あとからついてきたかのように見えるのです。

したがって、わたしと、背後から歩いてくる兵隊さんとは、いっさい関係がなかったのです。このことは、事実として書き加えておかなければなりません。

「あとがき」は、「投稿」原稿にみられるような論調が、多く見られたことに触発して書かれたものであるが、『白旗の少女』が刊行される前に書かれたものとしては例えば、『鉄の暴風』の執筆にあたった牧港篤三のエッセー「異常な戦場芝居」を上げることが出来よう。

私は、一フィート運動（米戦争記録班撮影の戦争記録映画を一フィート百円で購入、上映活動をする）の映画で、白い旗を手にした少女が歩いてくるショットに打たれた。彼女の後ろから日本兵がついてくる。正に戦場のドラマだ。子供なら射つまいと、彼女を先に立たせた日本兵の歪んだ心理。これこそ沖縄戦でなければ演じられない、深い難解性を湛えた異常な戦場芝居である。

牧港のエッセーは、「〝りゅう子の白い旗〟によせて」として書かれたものであった。それは、白い旗を掲げて投降する少女の「ショット」を見たものの、いつわらぬ思いが吹き出たものであったといっていいだろう。[9]

『白旗の少女』が刊行される以前、記録映画を見た多くの観客は、少女の後ろについてくる兵隊たちを許せないと思った。『りゅう子の白い旗』は、まさしくそのことをバネにして書かれていたといっていいが、「あとがき」は、それが誤解に基づくものであることを訴えたのである。

『白旗の少女』が公表されて「事実」が明らかになっても、先に引用したような投書が出てくるのは、何故か。『白旗の少女』を読んでさえいれば、そのような意見は出てくるはずもないだろうが、問題は、なぜそのような意見が出てくるのか、という点にある。

投稿に見られる論調や牧港のような文章は、沖縄の戦時、戦後史と切り離して考えることはできない。

沖縄は、日本の独立とひきかえに米国の占領下に投げ出されたばかりでなく、ベトナム戦争や湾岸戦争の際には前線基地化したこと、それが一つである。

あと一つには、沖縄戦のさなかにあった「日本軍」の言動のみならず、戦後の動向といったものがある。その典型的なあらわれを『母の遺したもの』に見ることができよう。

『母の遺したもの』の「第四部　母・初枝の遺言」は、三三年目にして初めて「事実」を語ったものの苦悩と、「事実」を知ったことによってなされた元隊長の「半ば暴力的ともいえる行動」とが記されているが、それは無惨としかいいようのないものであった。そこには、「命令」したかどうかの「事実」の問題を越えて、日本軍兵士の中に見られた非人間的なありようが鮮明に照らしだされていた。

元隊長の「行動」を知れば知るほど、元隊長に対する不信感が強くならざるをえないが、それを知らなくても、元日本兵に対する不信感は、拭い難く存在する。『りゅう子の白い旗』は、そのことをよく示しているはずであり、その不信感が「白い旗」を巡って噴き出したといえるのである。「実相」「実録」「事実」に基づかない戦記は戦記としての価値などないが、あえて「実相」「実録」「事実」によらないことで、より深い「真実」が照らし出される場合もあるのである。

注

1 『沖縄健児隊』所収「血であがなったもの」を踏まえて書き直された『鉄血勤皇隊』でも、(生き残ってから後の或る日、フト私は増永隊長の命令とこの叱責を心の中で反芻してハッとした)云々以後の文章は削除されているが、削除は、「後でわかったこと」(『沖縄のこころ』所収「第4章　血であがなったもの」)による削除だけでなく、「飛行機に追われ周章した老人が壕に入ろうとする。そして追い出される。突き出された老人は身をかくす由もなく何時までもその付近をうろつく。すると飛行機の爆音が唸りを立てて落ちてくる。と、爆弾の恐怖に脅えた兵が照準を合わす。壕内の人々は冷たい銃口を黙ってみている。パン！　たった一発。人々はハットする。百分の一秒の間、彼等の胸中には虫づが走る。それでも「戦争」という隠れ蓑で彼等は一瞬萌した光を押し包み、その罪悪感を真黒くぬりつぶす。しかし、それは何時までも消えない汚点となって残る。私は一聯の糸をたぐるようにこんな事を考えていた。」といったような箇所も削除していた。

2 大田は「改めて戦争を考える」(一九八七年一二月一三日付『琉球新報』)と題したエッセーで「沖縄戦における子どもたちの苦難を如実に語るものとして、私が自ら何万枚もの写真から選んだもの」として「白旗」を掲げる少女の写真について触れていた。同エッセーは、「『白旗の少女』が証言　一フィート運動・映画と証言の夕べ比嘉富子さん投降の状況生々しく」(『琉球新報』一九八七年一二月一〇日)を受けて書かれたものであろう。

3　一九八五年一一月六日付『沖縄タイムス』は「1フィートフィルム基に自主映画」の見出しで、「子どもたちにフィルムを通して沖縄戦を伝える会」(通称・一フィート運動)が『沖縄戦・未来への証言(仮題)』を自主制作すると発表したことを伝えている。そして翌一九八六年四月二日には「『沖縄戦・未来への証言』1フィート運動映画　題名、歌詞決まる　5月に公開　今月撮影を完了」、五月十五日には「戦場の惨状つぎつぎと『沖縄戦・未来への証言』記録映画が完成　1フィート運動を集大成」、五月二二日には「全世界への平和メッセージに　1フィート集大成映画『沖縄戦・未来への証言』一般公開始まる」、五月二六日には宜野湾、六月二日には名護市民会館、六月六日にはタイムスホール、六月八日には沖縄市民会館、六月一八日には名護市定例議会で上映されたことを伝え、六月二二日には「1フィート映画本土上映、外国版も計画　慰霊の日講演や集いも」の見出しで、「五月二十一日上映開始して以来延べ一万七千人」を動員したことを伝えるとともに、今後の上映日程として二二日から七月九日までの会場、時間を掲示、一九八七年二月一八日には「1フィートの『沖縄戦・未来への証言』初めて海外へ渡る」として「沖縄に里帰り中のペルー日系人協会地区代表議員伊礼英夫さんがフィルムを購入、ペルーに持ち帰る」と伝えている。そして五月十七日には「『沖縄戦・未来への証言』反響呼んだ一フィート運動」の見出しで、初公開一周年と「優秀映画鑑賞会」の推薦映画に決定されたことを受けて記念パーティーが開かれたこと、「昨年五月二十一日、那覇市民会館で初上映、これまでに県内で百八十七日、四月現在で四万二千八百八十二人が観賞、広島、長崎をはじめ本土へのレンタルも七十六回を数え、一万四千人余が沖縄戦に触れている。ビデオは百五本出され、ほとんど連日のように全国各地で上映されているという」ことを伝えている。

4　一九八四年五月二日付『沖縄タイムス』は、壮絶な戦闘シーンも　沖縄戦記録フィルム　第一陣12本届く　1フィート事務局反戦映画に編集化」の見出しで、「『沖縄戦記録フィルム一フィート運動事務局』(仲宗根政善代表)が二月十七日に発注した沖縄戦の未公開フィルム十二本が一日、アメリカ国立公文書館から同事務局に届いた」

こと、「一フィート運動が始まって以来、フィルムが送られてきたのは、これがはじめてである」こと、そして「フィルム十二本の内容は『第二次世界大戦』『首里の攻撃』『日本兵の降伏』など合計上映時間五時間弱」であることを報じている。「白旗の少女」は、「日本兵の降伏」の中に入っている。五月五日付『琉球新報』「金口木舌」は「アメリカから届いた沖縄戦の記録フィルムが公開され、話題を呼んでいる」と記している。

5 一九八七年一〇月二〇日付『沖縄タイムス』は「生きていた『白旗の少女』 沖縄戦の記録写真 7歳戦火をさまよう 沖縄市池原・比嘉富子さん(48) 老夫婦の温情で助かる」の見出しで、「インタビューに応じた」ことを伝えている。

6 一九八八年六月一三日付『沖縄タイムス』は「核廃絶と平和の願い訴え SSDⅢ「平和大行進 カチャーシーで沖縄アピール 『行動する会』が力強く ニューヨーク」の見出しで、一フィートの会他三三人が「紅型のハッピにカチャーシーの舞いで、沖縄をアピールした」と報じるとともに、「〝白旗の少女〟の比嘉富子さんは『私を撮ったカメラマンに会いたい』と写真入りのプラカードを手に行進。沿道の人々の関心を集めた」と報じている。

7 一九八八年七月一三日付『沖縄タイムス』は「つらい戦争だった 涙ぐむヘンドリクソンさん 白旗の少女撮影の米カメラマン 胸のつかえおろす 比嘉富子さん語りべの決意あらたに」の見出しで、比嘉が、四三年ぶりに「元米軍カメラマンと六日、米・テキサス州で〝再会〟を果たした」ことを報じている。同紙は、また八月一四日、ヘンドリクソンが来沖したことも報じている。

8 松本健一は「白旗伝説異聞」(『白旗伝説』一九九八年五月一〇日 講談社学術文庫所収)で『白旗伝説』(『群像』一九九三年四月号)という物語において述べたのは、次のようなことどもであった」として、白旗の来歴を略記したあと「沖縄の少女が白旗を掲げたのは、かつて日露戦争に参加した老人の記憶によっているのではないか」と記していて興味深いものがあるが、兼城一編著『沖縄一中 鉄血勤皇隊の記録 下』(二〇〇五年九月一〇日 高文研)のなかに「波打ち際に近づいてきた哨戒艇が『日本兵のみなさん、戦争は終わりました、白旗か白いシャツをかかげて港川の方向にすすみなさい』と投降をよびかけていた」という証言があることからすると、「老人」は米軍の投降呼びかけを聞いて、「白旗」を少女に持たせたと考えられないこともない。兼城のそれにはまた、「白旗の少女」について「仲村繁は『白旗の少女』の写真を見るたびに、摩文仁で目撃したあの少女―六月二十一日仲村繁証言、二〇〇メートルぐらい離れたキビ畑のかげから、白旗をかかげたオカッパの少女があらわれた。少女のあとに十数人の民間人が続き米軍陣地に向って歩いて行く。兵隊も何人かまじっていた。投降する人たちである―ではないかと考え二つの像を重ねあわせようとするが、記事を読むとちがうような気がして同一人物だと確定するにいたっていない、と語っている。沖縄戦の末期には、少女を先頭にして降伏した例は他にもあったようで、仲村繁が目撃した少女がこの『白旗の少女』ではなかったとしても、そうした場面のひとつだったといえよう」と書いている。

9

一九八七年一〇月二九日付『沖縄タイムス』「オピニオンのページ」に掲載された「白旗の少女に改めて感激」（松堂権助）にみられる「ずるい日本兵は白旗を掲げた少女に、米軍から射撃が無いことを確認し、洞ケ峠をきめこんで、ミニ投降使の後にゾロゾロ恥もなく追随している」といった一節、一九八八年六月二二日同紙「論壇」に掲載された「「白旗の少女」と「6・23」」（宮城みのる）にみられる「フィルムに映し出される投降シーンは、少女は白旗を右肩に、むしろ明るい表情で左手をふり歩み寄る。その後ろを、おびえた表情の二人の日本兵がついて来る。このあべこべな映像が、沖縄戦の実体を如実に物語る」といった一節に、「白旗の少女」の記録映画を見て、視聴者がどう感じたかがよくあらわれている。

「母」なるもの
──川満信一の詩

『かぞえてはいけない　川満信一抒情詩篇』が刊行されたのは、二〇一三年一二月三〇日。それは「一九五〇〜七〇年代の作品をまとめた『川満信一詩集』（一九七七）、第二詩集『世紀末のラブレター』（一九九四）そして現在継続発行中の個人誌『カオスの貌』（一〜一〇号）に収録されたものから選ばれた詩篇」で編まれ「今福龍太・明子ご両人の望外の力入れがなければ」実現しなかった、といわれる詩集である。

『かぞえてはいけない　川満信一抒情詩篇』は、「詩片1」「詩片2」「詩片3」で構成されている。1、2にそれぞれ九篇ずつ、3に一〇篇、計二八篇が収録されていて、これまで刊行されてきた詩集と関連するかたちで、1を『川満信一詩集』から、2を『世紀末のラブレター』から、3を『カオスの貌』に発表された詩篇から精選した、といったようなかたちにはなっていない。

例えば表題になった詩片1に見られる「かぞえてはいけない」は、『世紀末のラブレター　川満信一詩集』から取られた一篇であり、詩片2にある「哭く海　序詞より」は、『川満信一詩集』に収録されている一篇であるというようにして、『かぞえてはいけない』の構成は、普通に思いつくような詩集と対応するかたちで編年体になっているわけではないのである。

詩篇の再構成は、川満信一の詩の核心となる要素を、それぞれの箇所でまとめて味わってほしいといった意図があってのことかとも思われるが、それにこだわらず、全篇を通して読んでいくと、歴然と浮かび上がって来るものがある。そしてそれは、間違いなく川満信一の詩心の中核をなすものであるといっていい。

それは次のように現れて来る。

おまえはジプシーの子
草原の風が孕ませた
星の飛礫の青い痣だ
でも母を恨んではいけない
ジプシーのあかさよ

（「ロルカよ！　おまえ」詩片1所収）

さわさわと
死んだものたちの

ひしめく霊のさなかから
妖しい土語を叫びあげて
母は激しく起ちあがった

（「叩かれる島の怨念」詩片2所収）

かたくなに背を向けて
孤り海ばかり見つめている少年
シークヮーサーの香りに包まれた彼の
まつ毛はきっと濡れて光っている
やはり　少年だって風だろうさ
母の記憶をふり払って
失意の羽をふるわせているよ

（「風」詩片3所収）

詩片1、2、3のそれぞれに収録されている三篇は、同じ詩想になるものではないが、そこには同じ言葉がたち現れてくる。「母」という言葉である。川満信一の詩心を波立たせる胸奥には、間違いなく「母」が居座っているのである。

「母」といえば、姜尚中が「母―オモニ」で、「母、それは、いつの時代も子供たちの心を虜にせずにはおかない。幼少の頃、子供以外の何者でもなかったすべての者にとって、母は絶対的な存在だったはずだ。たとえそれが、激しい愛憎をともなっていたとしても。／とりわけ息子たちにとって、母は「女」ではなく、あくまでも母でなければならない。息子から「男」になり、「女」と交わり、父親になってからも、息子たちは、母が「女」であったことを認めようとはしない。それほど、母という言葉は、息子たちの心を尋常ならざるものにしてしまうのだ。／そして母が単なる母にとどまらず、「オモニ」であるとすれば、息子たちは狂おしいほどの母への想いに心を焦がすに違いない」（／は行変えを示す、以下同）と書いているように、息子たちにとって「母」は、間違いなく「心を焦がす」存在であった。

川満にとっても「母」は「心を焦がす」存在であったと言えるが、では、その「母」を、川満はどのようにうたっていたか。

「ロルカよ！　おまえ」は、表題に見られるように、内乱（一九三六年〜三九年）で、ファランへ党員に銃殺されたスペインの詩人、劇作家ガルシーア・ロルカに呼び掛けるかたちで書かれたものである。

ロルカの代表作「血の婚礼」は、川満の知友でシンガーソングライターの海勢頭豊が全力を注いでバレー組曲にアレンジし、公演したこともあって、極めて身近な話題になっていたこともあるのではないかと思えるが、何はともあれ、川満は、ロルカの「アンダルシア地方を舞台に、狭隘な抑圧された世界に生きる女たちの悲劇を、暗い宿命の響きのなかで、象徴的、詩的形式を用いて描いた作品」に魂を奪われていたのではなかろうか。

「ロルカよ！おまえ」は、「北嶺の冬の氷と／人々の閉ざされた心のひだをくぐり抜けて／オリーヴ香るグラナダの丘に／やっと辿り着いたお前の母の／足跡を訪ねてはいけないよ／ロルカ」と始めていた。そのあとに「母を恨んではいけない」とたたみかけていく。

「母」は、そのように「訪ねてはいけない」「恨んではいけない」存在として現れ、詩は、革命に殉じた詩人ロルカだけでなく、やはり抵抗運動に飛びこんでいくアラゴンに及ぶ。別言すれば、社会変革を志した詩人たちを見つめていくなかで「母」が呼び出されていたといえるのである。そして、そこにはさらにまた、「母よ、あなたも密かに窓を開いたって？／誰だい？　アダン山の香りするその男／誰だい？　磯風の腐った臭いのその男」といったように、「吾がわびしい島に密かに伝わる伝説」として伝えられて来た名前のない男たちとともにいる「母」も出てくる。

その「母」が、より具体的なかたちをとって歌われたのが「叩かれる島の怨念」である。詩は、「木になってもなお／風吹けば古い地機の歌を／怨念のしらべにのせ／石になってもなお／叩かれる島の涙を／幽鬼の海に熱く注ぐ母よ」とうたわれ、「村々の伝説と掟を蘇らせる」という。その「伝説と掟」は、宮古の古歌謡や古記録に記録されたものであることは、詩行から読み取れる。例えば「鬼虎のアヤゴ」として知られる古歌からの引用と思われる詩行などがそうであるが、より直接的には「幼年の頃、母が語り聞かせた」話として「沖縄・自立と共生の思想」のなかで紹介されている「唐向い墓の下道」の「民話」を上げることもできよう。

川満の詩に見られる「母」は、そのように革命に飛び込んでいった海の彼方の詩人たちを呼び出すと同時に、郷土の古謡や伝説と結びついて現れていた。

「叩かれる島の怨念」は、「母」を基点として、革命の闘士になり損ねたことを自嘲するかのように歌われていたが、復帰運動のさなか、「反復帰」をとなえて苦闘した歴史を刻んだ記念碑的な作品になっていたといっていいだろう。

詩片3に収録されている「風」は、「少年」の失意の悲愁だけでなく、失うことが成長であると気づいた「老人」の嗟嘆を歌ったものであり、「ロルカよ！　おまえ」「叩かれる島の怨念」とは異なるものとなっている。それは「母」そのものが歌われているのではなく、「母の記憶」が歌われていた。そこにはしかし「母の記憶」と関わる具体的な出来事は記されてない。その具体的なかたちを歌ったのが「吃音のア行止まり」である。

それは次のように歌われていた。（一、二連省略）

　幼い頃の温もる記憶を追って
　久しぶりにふるさとへ来たものの
　変わり果てた風景に
　ああ、ああ、あい、あいなあと

ただ吃音のア行を繰り返すばかり

汐の満つのも忘れて遊びぼうけていた
あの色とりどりの魚たち、貝や蟹たち
懐かしい名前もみんな忘れはてて
ニッポン語で名指しできない世界が
前世の夢でも見ているようによそよそしい

ニッポン語を習わなければ良かったんだ
ニッポン語を習ったばっかりに
死の床で苦しむ母にさえ
「ナンデスカ、ナニヲシテ、ホシインデスカ」
などと、羽織、袴で、背広の根性で表情を装っていたのだが

最後の息を引取る間際の
スマフツを呑み込んだ母に
スマフツで答えきれないでいたぼくの

謂われもないコンプレックスの無残さ
「ウザガー、ンザヌガ、ヤンムガア、アニー」
（どこね、どこが、痛むの、お母さん）
はるか岬の遠くまでコンクリートに覆われ
荒れた埋立地にとり残された
みすぼらしいピィダ浜のあこうの木も
気紛れな風に急かされて、かさかさかさかさ
カイハツシンコウというニッポン語を勉強中
ケイザイハッテン、カンコウシンコウと
貝や小魚たちも硬い舌回しで暗唱している

ああ、美しいニッポン語、豊かな日本語
名前を失った島の岬よ、風よ、雲よ
あいやなあ、あい、あえ、あお
すべては吃音のア行止まり
ミャークニーはどこへ消えたのか
アヤグは昇天したのか

「風」の少年の悲しみ、ひいては老人の悔いを生み出したのは、「美しいニッポン語」を習得するためにっってしまったものの大きさに気づいたことによる。それは何よりも、死んで行く「母」を前にして、お互いの言葉を呑み込まなければならない状態に陥ってしまったという、痛切な「吃音」状態が現出したことにある。

川満は、「宮古論・島共同体の正と負」のなかで、柳田国男が「沖縄県の標準語教育」で取り上げていた「多良間島の一秀才」の話を引いて、その土地で生活するためにその土地の言葉を習得するということは「剥き出しの差別に襲撃されることを意味する」といい、「平良の町にもっとも近接していながら、頑強なまでの閉鎖的な保守性で、独特なアクセントの方言を使っている久松部落を、出身地とする私なども、平良方言を使うものたちの根拠もない優越意識によって、かっこうのなぶりものにされ、〝野崎マーブイ〟と嘲笑され苦しんだ」という。そして「その幼少期に受けた差別の瞋恚のせいで高校入学とともに、一家で平良の町内へ転居しながら、ついにピサラ方言を学ぶことを拒み通してしまった」だけでなく、「高校在学中、もっぱら共通語で用を足すことにしたが、それは息づまるような不自由さを自ら背負うことでもあった」と書いていた。川満の論は、差別をめぐるもので、「美しいニッポン語」を習得することで失ったものに関する論ではないが、そこから見えてくるものがある。それは、生活の場で直接使われる言葉を拒んだばかりか、生まれた土地の言葉とも離れ「もっぱら共通語」を使う事で生じて来た事態についてであり、その結果が「吃音のア行止まり」であったということである。

「生まり島ぬ言葉忘しいね、国ん忘しゅん」（生まれ故郷の言葉を忘れてしまったら、自分の国も忘れる結果になる）という諺があるが、そのことを切実に思い知ることになるのは他ならぬ「母」の末期と向かい合ったときであった。「母」と向かい合うということは、間違いなく「国」と向かい合うということでもあったのである。

『かぞえてはいけない』には、最初で触れたように二八篇の詩が収録されている。そしてそのうちの八篇に「母」が歌われていた。その割合が、高いものであるかどうかは、見方によるだろうが、少なくとも川満の詩には、「母」なる言葉が、特別な位置を占めている事だけは確かであった。

そのことは、近年発刊された『沖縄アンソロジー　潮境』（第一号　二〇一六年二月）に収録された「慰安婦」、『カオスの貌　特集・島尾敏雄』（二一号、二〇一七年四月）に納められた「言祝ぎの島─奄美自由大学　沖之永良部島にて」等をみれば、よくわかる。「母」なる言葉は、いまなお川満のなかで疼き続けているのである。

「慰安婦」「言祝ぎの島─奄美自由大学　沖之永良部島にて」に見られる「母」は、官権に追われて逃げた韓国の「母」であり、神話につらなる「母」であることからわかるように、ある出来事の象徴としてとりあげられている「母」であった。

川満の「母」は、物事の根底を指示してくれる存在としてその多くが歌われていたが、姜尚中が「母

―オモニ」で書いていた言葉を思い起こさせるような一篇もあった。「母の背中」（詩片2）がそうである。
川満が「母の背中」で歌っていたその母について触れた、次のような文章があった。

彼の家で会議が開かれる日に、みんなより一足先に出かけると、彼の母は「次男がきた」といって、鍋の底をはたくように一椀のめしをあつめ、そのうえに豆腐のかけらなどをのっけて私にくれたりした。学寮で慢性的な飢えに喘いでいたものにとって、その一椀は涙が出るほどうれしいことであったし、すでに離島を出郷し、高校、大学と五、六年もの寮生活で肉親との触れ合いを欠いていた私にとって、彼の母が天性のものとして持っていた強大な母性と荒っぽいが人の内部をすぐに見抜いてしまう鋭い視線と情愛の深い挙措は、精神の飢餓をいやすものとして求められたように思う。この家で彼は生長し、文学や思想にめざめ、伊佐浜の土地闘争へ出かけ、琉大の学生たちに「仕事の歌」を教え、夜は「経済教科書」をひもといていた。貧窮と飢えをもたらすものへの憎悪、それを必然化している社会構造への妥協のない敵意はそこで形成されたことになる。

川満の母は、いれいたかしが書いている通り「強大な母性」を感じさせずにはおかない存在であった。そして川満の思想は、これまたいれいが指摘しているとおり、その「強大な母性」のもとで「生長し」、「めざめ」、「妥協」を許さないものとなっていった。川満が「母」を手放さないのは、「母」

が、彼の思想の根底を支えているからであり、エリアーデを自得すること深いものがあるからであろう。

三つの男たちの戯曲と二つの女たちの小説
――『山城達雄選集』解説

1

本書に収められた「北極星」は一九九九年八月、「命の樹ガジュマル」は二〇〇五年四月、「天空舞うファンタジー――ある帰米二世画家の生涯」は二〇一一年四月、いずれも『民主文学』に発表された作品である。

山城が、「遠来の客」で新沖縄文学賞の佳作に入選したのが一九八九年、そして「窪森」で第二十四回新沖縄文学賞を受賞したのが一九九八年、二つの作品に「ベラウの花」（一九九一年）、「監禁」（一九九八年）、「札びら散る」（二〇〇〇年）、「迷彩顔」（二〇〇二年）、「被弾」（二〇〇四年）の五作をまとめて『監禁』の表題で刊行したのが二〇〇六年七月である。

『監禁』に収録された作品は、すべて小説で、山城は、そのジャンルに精魂傾けたように見えるが、実は、戯曲も書き継いでいたのである。しかもそれは、新沖縄文学賞を受賞した翌年から始まっていた。受賞は、小説を書く事にではなく、ジャンルを異にする戯曲に向かわせたのである。

受賞作のあとの戯曲の発表というのは、何らかの動機がなければならない。戯曲が小説と異なる点といえば、多分戯曲が、共同作業を通して、作品が立ち上がっていくことを目指すものであり、舞台を通して、人々と直接向かい合って行くことを目的としている点に求められよう。山城が戯曲に筆を染めたのは、自作に、より社会性を求めていったことによるのではないかと思われる。いずれにせよ、山城が、新しい領域へ歩み出していったことは間違いないし、そのことがとりわけよく現れているのが「北極星」であった。

「北極星」の時代背景は、一九五四年である。その年は、一月七日、米大統領アイゼンハワーが、一般教書演説で「沖縄のわれわれの基地を無期限に保持する」と発表、四月、恩納村の土地を軍施設のために使用すると通告、九月、伊江村真謝、西崎の土地接収を村に通告するといったように、年頭から沖縄の将来を閉ざしてしまうかのような発表、通告が相次いだ。

さらにその一方で、七月、米民政府は「奄美出身の人民党中央委員ら二人に沖縄外退去」の命令を出し、一〇月には「米民政府の退島命令を拒否した奄美出身の人民党幹部の隠匿幇助および教唆等の容疑で、人民党の瀬長亀次郎書記長や又吉一郎豊見城村長が投獄されたのをはじめ多くの人民党員が逮捕」(新崎盛暉)されるといった人民党事件が起こった。土地接収、基地強化とともに人民党弾圧が激しくなっていくなかで、一一月七日、夜一〇時四〇分、「沖縄法政史というよりも日本でも稀有な刑務所そう動事件」(「話の卵　さながら地獄の狼」『琉球新報』)が起こる。

翌八日付き『琉球新報』日刊は、「昨夜、刑務所で暴動　鎮圧に武装警備隊出動」の見出しで、「七日午後十時四十五分、沖縄中央刑務所で服役中の囚人が集団で脱獄を計画、一部は暴動化して深夜に刑務所看守と乱闘看守側は拳銃、カービン銃を乱発約三時間後に暴動は鎮圧された」として、次のように事件を伝えた。

刑務所側では約二、三日前からこの計画暴動のあることを察知、全所員が警戒に当つていたもの、なおこの集団暴動計画を刑務所側が察知したのは人民党書記長瀬長亀次郎氏が入獄してからとの噂が流布されていたが知念刑務所長はこれについて、〃そんなこともないだろう……〃と暗に否定の態度をみせている。

記事は、そのあと、刑務所内外のようすを伝えるとともに、一二時半から、「囚人十三名を呼んで実情を聴取」したこと、所長たちが説教をおこなったが怒声が止まなかったこと、そして「一時現在、暴徒化した囚人は服役中の人民党書記長瀬長亀次郎を中心に刑務所側に対し決議文を手交しようと団交中、刑務所側では各房代表三名を集めて希望を聴取する模様、決議文の内容は狭い所内に九五一名が収容されている、〃刑務所側の圧政がひどい〃—の改善をとりあげている模様」と伝えていた。

夕刊になると「未曽有の囚人暴動事件　今晩まで警備隊と相対峙　集団脱獄囚人数未だに不明」「破壊された監房　工交局が緊急修復工事」「囚人を非人間扱い　看守に対する反感から」「刑務所

を警察管下に　暴動鎮圧に異例の緊急措置」の見出しで事件を伝える一方、「瀬長氏は鎮圧役　先鋭分子ら三名検挙」として「瀬長氏はこの事件に何の関係もなく、かえつて暴徒化した囚人達の鎮圧役に極力努めていたと三人の囚人達は異口同音語つており良識の人々の愁眉をひらかせた」と報じていた。

刑務所暴動事件に関する報道は、勿論事件の起こった翌八日だけでなく、九日日刊も「刑務所暴動鎮圧さる　調査委員の面接でケリ」、夕刊では「地獄変じて極楽境　囚人らが獄舎で無礼講ぎ」、一〇日日刊では「調査委五項目に回答　囚人の要求殆ど通る?」、夕刊には「秩序回復に協力頼む　全囚人にラジオで連絡　降頻る秋雨無気味な対じ続く」、一一日日刊「残る手段は強制収容今朝遂に実力行使か　催涙ガスと猟銃班が第一線」「勝手放題の刑務所　四頭の豚鍋に凱歌」、夕刊「法を紊す者は射て!　警備隊、遂に実力を発動　暴慢無戻者の囚人に第一弾お見舞い」「犠牲者を覚悟の処置　西平隊長、囚人に非常警告」、一二日日刊「荒らされた刑務所内　青龍刀鎌など約百本隠匿　囚人暴動に終止ふ　全房を修築再び拘禁」「書籍整然の瀬長独房　『心』に綴るは又吉の心境か」、一三日日刊「囚人暴動を顧みて　囚人の要求には警戒　だが行動には痛烈な批判」と続き、その後は、逃亡した囚人の検挙に関する記事を載せ、二〇日日刊の「少年囚元の古巣へ　きのう全囚人刑務所へ」で終わっていた。

八日の記事にはじまり、二〇日に終わった刑務所暴動事件報道は、のち「沖縄刑務所事件」(『民族の悲劇　沖縄県民の抵抗』所収)として瀬長亀次郎によって報告され、さらにその後瑞慶覧長和が、事件の詳しい経緯を綴った『米軍占領下の沖縄刑務所事件』を刊行していた。

山城の「北極星」は、瀬長、瑞慶覧両者の著書を下敷きにして書かれたもので、刑務所の「検身場」の場面からはじまる。検身について、瑞慶覧は「かんかん踊り」と受刑者は呼んでいたといい、朝夕検身場で「素裸になって一列に並び検身の順番」を待ち、「看守の前に一人一人出る受刑者は、まず、両手、両足を広げ大声で自分の番号を唱えると次は大きく口を開け、口中に何も含んでいないのを見せ、さらに看守が要求すれば舌を上あごにひっつけて舌の裏まで見せなければならない。この動作をしながら広げた両手の指もぱっと開けて裏表を看守に見せ、指の間になにも隠し持っていないことを確かめさせたあと次は五十センチの高さに作られた木製のハードルを跨ぎながら足の裏も見せなければならない」といったことをさせられたという。

山城が、「北極星」を検身場からはじめたのは、そこが、人権を無視した取り調べがなされている様子のよく分かる格好の場であったこともあるが、なによりも受刑者たちが朝夕集まる場であるということがあった。大切な役割を果すことになる人物を一挙に登場させることが容易にできる場であったのである。

山城がそこに登場させたのは五名。一人は憲兵軍曹と呼ばれる、スクラップ等の密貿易で稼いだのに味をしめ、それを盗みに基地に潜り込んで逮捕された男、一人は炊事班長で、ダイナマイト漁をしていて捕まった男、一人は「戦果アギヤーのプロ」で、倉庫から運び出されてくる食料品を途中で奪っていたのを網を張って待って居た官憲に逮捕された男、一人は「シナアチネー(砂商売)」

で、浜辺の砂をとりつくし、基地の中の自分の砂地畑から掘り出した砂を運んでいて捕まった男、あと一人は、芝居役者で、瀬長亀次郎の演説を聞いて感動し、「カメさんの演説会ウーヤー」をやり、自分で劇団をつくり「瀬長亀次郎物語」を演じていたが、客の入りが悪くなったことで劇団を解散し、米軍のクラブで働くようになった所で陸軍中尉と仲良くなる。彼が同性愛者だということがわかり、うまくあしらいながら、彼の部屋に積んである豪華な品物を前に、飲み食いしていたところを、軍需物資を盗んだとして現行犯逮捕された男である。

五人の経歴に見られる密貿易（スクラップ業）、ダイナマイト密漁、戦果アギヤー、砂採掘、芝居役者（不良軍人の相手）といったのは、沖縄の戦後を語る際に必ず出て来るキーワードといっていいものである。敗戦後の沖縄の人々は、そのほとんどが何らかのかたちで、これらと関わりのある暮らしをしていたことからして、誰もがいつ何時、刑務所へ引っ張られてもおかしくなかった。刑務所が、定員の何倍も収容しなければならなくなったのは、そのことを示していた。

検身場からはじまった舞台は、刑務所職員に「鉄砲手錠」をはめられ、悲鳴をあげる受刑者の場面に移る。瑞慶覧は「受刑者の規律違反には、その罪の程度に応じた懲罰執行をすることが決められていた。軽い罰なら訓戒、それから手錠や皮手錠をかけるやり方である。手錠というのは普通金属手錠のことをいっている。反抗したり逃走のおそれのある者には合法的に手錠の使用を認められているが、手錠のかけ方については明記されてないから、刑務課職員は皆、鉄砲手錠も合法的だと認識していた」と書いていた。合法的だと考えられていたその「鉄砲手錠」は、「三十分で気絶するし、四十分以上も経てば死ぬこともあるといわれている」厳しい懲罰方法であった。

定員の二、三倍も詰め込まれているうえに、体罰も二、三倍に増える。容赦なく振りかかる正当性を欠いた暴力に、受刑者の反抗もめだってきて、看守職員の間に、何かが起こるのではないかといった不安が芽生えて来る。

そこに、瀬長亀次郎他人民党員七名が拘禁されたというニュースが入り、刑務所は一時騒然となる。瀬長と又吉一郎が、理髪師に伴われて登場。頭髪を刈り終えて独房へ帰るのを見つけた受刑者たちが、「瀬長さんだ、又吉さんだ」と声を出し、食器を叩き、バケツを打ち鳴らし、指笛を吹き、拍手が起こり、時ならぬ歓声があがる。

「北極星」は、第一幕第三場、第二幕第三場、第三幕第二場からなっていて、瀬長の登場は、第一幕第二場になるが、三場では、瀬長たちが来てから、看守らの暴力行為がなくなったこと、そして芝居シーで瀬長ウーヤーをやり、「瀬長亀次郎物語」を演じた花城が、瀬長の演説のまねをする場面があり第一幕が終わる。

第二幕第一場は、暴動の計画があることを知って、非常警戒命令が出される場、第二、三場は、事件が起こった一一月七日夜から八日までの騒乱、両者交渉の場、第三幕第一場は、政府側代表に、受刑者側議長が要求項目を読み上げる場、第二場は、受刑者大会、演芸大会そして交渉結果の回答放送、それに対する瀬長の談話、最後に、砂ドロ幸喜の釈放が明日で芝居シー花城の別れの言葉に幸喜が礼をいい幕になるというものであった。

山城の「北極星」は、先に上げた瀬長亀次郎の「沖縄刑務所事件」と瑞慶覧朝和の『米占領下の沖縄刑務所事件』を踏まえて書かれていた。それは、山城自身が両著を「参考文献」に上げていたことからもわかるが、両著に書かれていることで、山城が採用してないエピソードもあった。その一つを上げておけば、瀬長が「九日の十時頃、全受刑者の集まっているところへ、勇敢にもとび込んできたアメリカ人がいた」と書き、瑞慶覧が「万事を事務的に、冷たく処理するばかりと思われているアメリカ人が、身の危険を顧みずヒューマニズムを発揮したので並居る人たちは、皆感動すると同時に、損得を考えないその行為に一種の後ろめたさを感じた」と持ち上げた、アメリカ人の行為が作品には採られてなかった。

それは、山城が、アメリカ人の個人的な「ヒューマニズム」を信じなかったからではないであろう。刑務所の収容人員が限界を超え、非人道的な行為が日常的であることに対し眼をつぶり、琉球政府の改善要求に何ら答えようとしないアメリカ国の一個人の「ヒューマニズム」を称賛するわけにはいかない、と考えた結果の取捨であったといっていい。

山城には、そのような「ヒューマニズム」よりも、もっと大切だと思っていたものがあった。それは、瑞慶覧の著書の冒頭を飾っている「これは〝暴動〟ではなく米軍政への怒りの抵抗であった―沖縄刑務所事件が示したもの―」にある、瀬長と三郎なるものとの対話を基にした、砂ドロ幸喜と関することである。瀬長は、そこで三郎が「うちの畑は砂地だが、米軍に金網で囲まれていて、そこからスコップで三杯、砂をすくってリヤカーに積んだところを米軍に見つかって、つかまった」と話したということを書いていた。山城は、その話をそっくりそのまま取り入れているが、三郎を幸喜にし、瀬長の文にはない、幸喜と面会するために通う母親を登場させていたのである。

母親は、面会に来るたびに「黒砂糖」を持って来る。面会出来ない場合には、他の手段を用いて息子の手に渡るようにする。そのような親子の情にこそ「明日」があると信じているのである。幸喜が、「明日」釈放されるという場面で幕をおろしている所にもそれは暗示されていよう。

「北極星」が、訴えようとしていたことについては、あえて触れるまでもないであろうが、あと一つ付け加えておきたいことがあった。それは芝居シー花城が、瀬長になりかわって演説をする場面についてである。その個所は瀬長の「人民党事件」に書かれた「瀬長・又吉両被告の陳述」から取られている。瀬長はそこで「瀬長・又吉の口、耳、目を封じることはできても、八十万県民の、五官の機能をとめることは不可能だ。瀬長・又吉の捧げた生命は、亡ぼすことは出来ない。平和勢力は必ず勝つ」と書いていた。山城はその「平和勢力は必ず勝つ」という箇所を「県民は必ず勝つ」に変えていたのである。

山城が、「北極星」で何を強調しようとしたか、そこに鮮明にあらわれていよう。

2

山城は、「北極星」のなかで、刑務官の一人が所長に、看守も受刑者もみんなぎりぎりのところまできていて「今に重大なことが起こりますよ」と訴えると、自分もやるべきことはやっているが、

「政府」もアメリカも、違法者は刑務所に送り込めばそれで終わりといった扱いで、改善には「忍耐をもって、時期を待つ以外ない」といってなだめる所長を取り上げていた。しかし、所長のその姿勢を裏切るかのような反乱が起こって、やっと、「政府」とアメリカも腰をあげるわけだが、「北極星」は、刑務所事件を、占領下にあった沖縄の混乱を象徴するものとして取り上げていたのである。

「北極星」のあと、山城が発表した戯曲は、伊江島の戦闘を扱ったものであった。沖縄戦を描くのに、本島のそれではなく、伊江島での戦いに目を向けたのは、占領下の混乱を描くのに「刑務所事件」に焦点をあてたのと同じく、伊江島で起こった出来事が沖縄戦をもっともよく現すものだと感受したからであろう。

伊江島の戦闘は、大城将保が指摘していたように、米軍の公刊戦史『沖縄・最後の戦闘』全十四章のうちの第五章すべてを「血ぬられた丘」として扱っていた（喜納健勇訳『アメリカ陸軍省戦史局編　沖縄戦　第二次世界大戦最後の戦い』では全一八章の中の第七章「伊江島の占領」）し、「伊江村民は沖縄戦のすべての局面、あらゆる要素をくぐりぬけてきたのであり、村民の戦場体験の内実を検証していけば、太平洋戦争における沖縄戦の本質的な意味もおのずから見えてくる」ものであった。山城もまた、大城のいう「沖縄戦の本質的な意味」が見いだせるものとして伊江島の戦闘に目を向けたに違いないが、彼が取り上げたのは、普通にいう戦闘とはおよそ異なるものであった。

山城の作品「命の樹ガジュマル」は、戦闘で傷を負って前線を離れ、樹の上に隠れて二年間暮らした二人の兵士の物語である。

一幕にはプロローグがあって、戦後六〇年たったある日、樹の上で暮らした元兵士の一人を囲んで、先生と数名の生徒たちが彼の話を聞いているという設定になっている。元兵士が伊江島の戦闘に参加した経緯、伊江島守備隊の総兵力、陣地の構築、空襲、疎開、そして米軍上陸のあらましがまず語られ、次の一場で、元兵士の所属した部隊の動き、二場で、軍と民間人との間で起こった事件、召集され軍と共に戦う伊江島の人たちの動きが記され、第二幕一場から二人の樹上での生活の様子が描かれていく。第三幕一場では、食事に飢えていたのが、米軍のチリ捨て場を見つけたことで食料が豊富になったこと、三場ではマラリアに感染したこと、二人の間で、故郷の話が出るようになったこと、四場では家族の夢を見ること、アメリカの「探し屋」ではなく、沖縄の顔付きをしたのが樹の下に現れたこと、二人の隠していた物資がなくなること、取らないようにと手紙を書いて置いたところ、それに返事があって、戦争はもう終わったこと、出てきても安全であること、そして迎えに来た者たちと会い、二人の樹上生活が終わる。その後に、プロローグの場面に対応したエピローグの場があり、先生が、伊江島の戦死者の概要を話し、生徒の一人が、九条を変えようとする現今の動きを伝え、九条が読み上げられ、最後に、二年間一緒に樹上で暮らした相手との約束を決行することを口にして去る元兵士を、皆で見送り、幕が下りる。

「命の樹ガジュマル」は、佐次田秀順の証言「米兵の目を逃れつつ二年間のガジュマル樹上生活」をほぼ踏襲して書かれたものであった。「ほぼ」というのは、取られてない証言もあると言うだけでなく、山城によって創作された部分も見られるということである。まず、採用されてない記述からいけば、「伊江島の慰安所」に関する箇所で、「慰安所の女性は五名いましたが、ほとんどが辻のジュリ（芸妓）あがりで、朝鮮の女性はいませんでした」というのがあった。そこが作品のモデルとなった佐次田の属した「第三中隊の壕」の前にあり、「「慰安所の前の壕」と言えばみんなが知って」いたというだけでなく、戦争の負の部分を照らし出すものとして重要な箇所であるが、そこを落としていた。それはたぶん、劇が、生徒たちに話しているという設定になっていたためである。その他に、水を汲みに出た時、米兵と出くわした話やハブに二、三回出合ったことなど、一挿話として興味深い出来事など採られてなかった。

証言にはなく、明らかに山城の創作だといえるものとしては、相棒が破傷風になった時、助けを求めて来た人に祖父が教示していた療法「ガジマルの枝を折り、枝からしたたり落ちる白い汁を傷口に塗る」こと、そしてガジマルの「小さい丸い実をとって食べさせるように」と言っていたことを思いだし、それを実行して、一週間程度で直したといった場面、さらに、バッタやゴキブリを「沖縄では病気した時、これを火に焙り病人に薬として与えますよ」といって与える場面などがあった。そのような民間療法があるのかどうか知らないが、薬などおよそ手に入る事のない追いつめられた戦場で、いかに生き伸びようとしたかを示すものとして大切な場面になっていた。

樹上の二人は、銃撃を受け負傷したり、雨を防ぐ手段もなくマラリアにふるえたり、破傷風で口が開かなくなったりして死に直面するだけでなく、樹の下に現れるアメリカ兵におびやかされながら二年もの間樹上の生活を送るが、小さな島でどうしてそれが可能であったのか。逆にいえば、二年もの間、樹上にいて、どうして見つけ出されずにすんだのか、という疑問が出てくるが、それは、軍も島の人も「玉砕」したからではないのか、と思わせるほどに、島に人間がいなくなっていたことと関係していた。

佐次田は、そのことに関して「伊江島の住民が慶良間に連れて行かれた（昭和二十年五月）ことは全然分からなくて、全部殺されたとしか思いませんでした」と証言しているように、捕虜になった伊江島住民は、いち早く慶良間に強制移動させられ、一九四六年四月、本島久志村大浦へ、一九四七年三月になって、ほぼ二年ぶりに帰郷を許されたのである。その間、島には住民がいなかったのである。島に住民がいなくなった、もう一つの沖縄戦、収容者の強制移動・退去を、作品はそれとなく語ってもいたのである。

「命の樹ガジュマル」が浮かび上げたのは、精霊の宿る樹とされるガジマルが、二人の命を救ったというだけでなく、上等兵と一等兵、出身地等の違いを超えて、お互いに力を尽して助け合いながら生き残ることができたということであった。これは不思議としかいいようのないあり方であった。

二〇一三年五月号『すばる』は、井上ひさし原案、蓬萊竜太作の「木の上の軍隊」を掲載していた。これは、井上が、はじめて沖縄戦をとりあげて書こうとして完成するに至らなかったものであるが、山城の作と同じく、佐次田の証言に触発されて生まれたものであった。

井上原案はその題に端的に現れているように「軍隊」に主点があった。新兵と上官二人の樹上生活は、最初からくいちがい、ゆきちがい、収拾不可能なことばかりが起こるのである。そしてそれは、樹上生活が終わるまで変わることがなかった。

上官　俺は……二年間、毎日一緒にいても、お前のことがほとんど理解できなかったよ。側にいる隣人を理解出来ない。理解できないものと一緒にいる。一番怖いことだ……。
新兵　……それが、何よりもしんどい。
上官　そうだ。
　　間
新兵　だけども、知りたいという気持ちはあった。
上官　……（うなずく）……あぁ。
　　上官は泣きながら言う。
上官　俺は……何度もお前を殺そうと考えたよ。
　　新兵は無垢な顔で言う。
新兵　俺もです。

「木の上の軍隊」の上官と新兵の間に見られるお互いが「理解出来ない」という設定は、日本と沖縄との間に見られる溝の深さの暗喩ともなっているが、出身が異なり、言葉に違いが見られ、軍隊での階層が異なる間柄では、いかなる面においても簡単に「理解」しあえるはずはなかった。どちらも相手を「殺そうと」考えることはあっても、である。

それが「命の樹ガジュマル」では異なるかたちになっていた。両者の題名が端的に語っているように、井上原案が「軍隊」の問題を扱っていたのに対し、山城は、「命」の問題を扱っていたのである。そしてそれは、さらにエピローグで強調されていく。

朝彦、佐次田に歩み寄り、紙切れ（九条の書き込まれた──引用者注）を渡す。

佐次田（受け取り）これ持って富士山に登る。

美咲、和喜、朝彦　へえ？ 富士山に？ どうして。

佐次田　前に、山口に会いに行った時、二人で登ろうと約束したんだ。頂上に行き着くまでに覚える。

劇の最後は、佐次田が「ワシは富士山に登るぞ、登るぞ」といいつつ舞台を去って行く。それを、話を聞いていた先生と生徒たちが見送って幕になる。

佐次田の証言には、樹上で暮らした相手と、彼の故郷で、二度あって旧交を温めたとあるが、そこに二人で「富士山に登る」約束をしたという言葉は見あたらない。明らかに、山城の創作になるものである。

山城が、「命の樹ガジュマル」を、戯中劇にしたのは、戦争が「体験」「証言」の時代から「記憶」

（成田龍一）の時代へ入ったことを示すとともに、「記憶」しておかなければならないことを指し示したいがためであった。端的に言えば、「九条」のためであった。

「九条」には「日本国民の長い戦争体験、とくにヒロシマ・ナガサキの原爆の受難、サイパンや満州や沖縄のように国民をまきこんだ壊滅的な戦闘、東京を始めとする大空襲の被害等が、生々しい傷口を広げたまま、人々の生活の中に息づいていた。数百万人の犠牲を払いながら全面降伏に至った太平洋戦争のこうした体験を通じて、大方の国民は、強大な軍事力が国民を守らず、逆に国民の生活をも奪うものだという痛烈な認識を共有していたのである。あのような馬鹿げた戦争は二度としたくないという日本国民の実感」（小林直樹）が、「具体化」されていたということを、一刻たりとも忘れてほしくないと思っていたことによる。

山城は、エピローグで、佐次田の話を聞いていた生徒の一人朝彦に、戦争がいかに酷いものであるかということは分かったが、「今の日本は憲法九条を変え、再び戦争のできる国にしようとしているそうですね。また戦前と同じようになると、どうなりますか」と質問させていた。それに対し、佐次田は、自分にもよくわからないところはあるが、戦前と同じにしてはいけない、といい、九条を読んでごらん、という。朝彦が読み上げたところで、「そのとおりだ」といい、「国が軍隊をもったら戦したくなる。武器をもったら人を殺したくなる。いままた戦をしようという連中がはばをきかすようになっているが、絶対、許してはいけない」といい、沖縄の戦前、戦中、戦後の生活が「自由と人権を奪われた生活だった」と話したあとで、読み上げたその九条を書いた紙片をくれという。

朝彦の、くれてもいいが、それをどうするのかという問いに、富士山の頂上に登る間に覚えるのだと答える。

「九条」を覚えるのに、なぜ「富士山」なのか、といった疑問は残る。それは多分、「富士山」が日本国民の尊崇の対象であり、大切にされているように、「九条」もまた尊重され、守られるべきであるということをいわんがためであったに違いない。それだけではない。もっと身近な問題として、「富士山に登る」ことが出来るというのは、他でもなく、争いのない平和な時代だからだということを伝えようとしたのである。

3

「The Art of Gaman」が「クローズアップ現代」で取り上げられ「GAMAN の芸術～日系アメリカ人　尊厳の世界～」と題して放送されたのは二〇一〇年一一月。「The Art of Gaman」展が、「尊厳の芸術」として東京で開催されたのが、二〇一二年一一月。同展は東京のあと福島、宮城と回り、二〇一三年二月、沖縄にやってきた。

同展で展示された作品の数々は、多大な感銘を与えた。アメリカへ多くの移民を送りだしていた沖縄でも、作品の一つひとつに、入館者の足が止まった。その時、マンザナーそしてトゥールレイクの強制収容所で絵を学んだ小橋川秀男の作品を思い出した人も、少なくなかったのではないか。

小橋川秀男の初めての個展が沖縄で開催されたのは、「GAMAN の芸術～日系アメリカ人　尊厳の世界〜」が放送された、丁度一〇年前の二〇〇〇年一一月。その時刊行された「帰米二世画家小橋川秀男　永久少年の夢と生涯」を参照して書かれたのが、「天空舞うファンタジー――ある帰米二世画家の生涯」であった。

「天空舞うファンタジー――ある帰米二世画家の生涯」は、その副題から分かるように、「帰米二世」の画家を取り上げたものである。

「帰米二世」というのは、一言でいえば、米国で生まれ、父祖の地に送られ、再度米国に戻って来た者たちのことである。石川好によれば、「帰米二世は、読んで字のごとく、アメリカに戻ってきた二世のことである。二代目ではありながら英語を母国語としない人々である。言葉どころか、生活習慣も価値観もそして感受性もごくふつうの日本人と同じものである。と言っても、日本人であると素直に名乗れない人々でもある」という。石川は、また、なぜそのような人たちがアメリカに住むことになったのかと問い、出稼ぎのつもりで来たのが思うにまかせずついつい居ついてしまったこと、子供たちが大きくなると、「教育的観点」等から「故郷の親類縁者に送った」こと、市民権、国籍等の問題が生じ、その子供たちが、今度は、アメリカに戻ってきたこと、そこで彼等は「「帰米二世」と言う名の移民社会アメリカにしか存在しない人間として」生きはじめたのである、と述べていた。

一幕に登場してくる三人の兄弟は、金を稼いで一家で郷里に引き揚げることの出来た成功者の子弟であった。しかし、一家は郷里の人たちの窮乏を手助けしているうちに、やがて逼迫し、兄弟三人とも再びアメリカに戻っていくことになる。

ガーデナーと雇われ農夫の三人の食卓風景からはじまる第一幕は、郷里への送金をめぐる会話にはじまり、日本人移民の歴史が語られ、日本軍の真珠湾奇襲があって、敵国人になっただけでなく、「帰米二世」として三名とも強制収容所に送られるまでが描かれる。

一九四一年一二月七日、日本軍による真珠湾への奇襲攻撃は「全米、ことに日本人に大きな衝撃を与えた。その直後F・B・Iと地方警察当局によって随所で日本人社会の指導者級の人たちが検挙された。検挙された人の数は三日間で一二九一名(ハワイを含む)。これらの人たちは反米的人物として、以前からブラック・リストに記入されていたといわれる。一二月八日以降は、邦字新聞の検閲、一世の銀行預金は二百弗以上の引出しを禁止、十五マイル(約二十五キロ)をこえての外出禁止令等々、武器、懐中電灯、キャメラ等の提出命令などがつづく」と『北米沖縄人史』は記している。同書はまた「日本人強制立退きは、以下のように公布された」として、「一九四二年一月二十九日、重要軍事区指定、二月二十四日までに戦略施設地域から立退命令、二月四日、太平洋沿岸取締り区域指定、二月十四日、西部防衛司令官デヴィット中将が陸軍省に日系人の強制立退を勧告、二月十九日、ルーズベルト大統領令『九〇六六』に署名、陸軍省に対し軍事地帯を設置して、その地域から何人でも排除できる権限を与えた。二月十七日以降日系人の時局対策が講じられたが具体的な結論はなく、日系人社会の暗中模索はつづく。三月二日、公示第一号」として「自由立退命令」が出され、「三月の下旬から、太平洋沿岸三州の日系人約十一万人の強制立退きが開始された」

といい、強制収容所がマンザナー、ツゥール・レーク、ボストン、ヒラリバー、ミネドカ、ハート・マウンテン、グラナーダ、トバス、ローワー、ジェロムの一〇か所に設置され、「どこのキャンプへ収容されるかは、それまでどこに住んでいたかで決まった」と述べていた。

第二幕は、「帰米二世」である三人兄弟が収容されたマンザナー強制収容所での日々が描かれる。太郎は、収容所の運営委員の一人に、勇はPXの店員に、秀男は食堂に働き口を見つける。太郎から「政府が日系人を徴兵する」といった情報がもたらされるとともに、ハワイでは指導的な地位にあった人々が収容所に送り込まれていること、さらに「ハワイ二世だけの独立歩兵部隊ができている」といった話がでる。政府は、全収容者を対象に「忠誠テスト」を実施。太郎と勇は志願するが、秀男は拒否。秀男が、二人に志願した理由を聞くと、太郎は、「四四二部隊に入りヨーロッパ戦線」で「ドイツ軍を打ち破り二世部隊に貢献して、日系人がこの地で差別や偏見もなく生きられるようにしたいし、この国に認めてもらいたい」からだという。勇は「陸軍情報学校」に入り、「沖縄に行ってお父やお母や弟妹達を助けたい」からだという。太郎と勇もそれぞれに目的地に向かうが、秀男は「ノーノーボーイ」としてトゥールレイク収容所へ移される。

兄弟三名がそれぞれ異なる道を選択して、別れるまでを描いていた二幕は、事実と異なるものとなっていた。秀男は、確かにマンザナーに収容され、「ノーノーボーイ」としてマンザナーからトゥールレイク収容所へ移っているが、他の二人はマンザナーに収容されていたのではなかった。

小橋川D、次郎の書いた「三兄弟――それぞれの戦争」(『ひとめぼれ　日系アメリカ人、小橋川ファミリーの20世紀』）によると「アメリカでは徴兵システムが日米戦前の一九三九年に始まり、一九四五年に終った。十八才から二十六才まで徴兵。三十九年には弟秀雄、博、友人の東フランク、その他多くの日系人が徴兵された」といい、「私は膝が悪くまぬがれた。弟秀雄は兵営の周辺をスケッチしていて捕えられ、基礎訓練の時銃を決して持たないと拒絶し（コンシアス・オブゼクターで兵務を断った者も多く、銃を持たない理由では罰されなかった。）とうとう除隊になって帰って来た。四十二年太平洋沿岸日系人総立ち退きとなり、秀雄は四月西ロサンゼルスから他の日系人と共にキャリフォルニア州モハバの砂漠に建てられたマンザナ収容所へ送られた。其所でノーノー・ボーイ（ノーノーボーイとは米国に忠誠であるか徴兵に応じる？との質問紙の二ツの質問にノーノーと答へた日本忠誠組の人たち）日本忠誠組に加はり、米国市民権をも離脱し、日本帰還組となって間もなくツール・レーキ収容所へ送られて終戦までいた」とある。

そして「私（次郎――引用者注）は四十二年五月、ロサンゼルス下町から他の日系人と共に、サンタ・アニタ競馬場に出来た仮収容所へ送られた。入所してから一ケ月で奥地アイダホ州砂糖大根農園労働に応募し、六ケ月期限つき許可証が給へられて、六〇名が出所した。着いた所はアイダホ州アバーデンの人口千余名という寒村だった。其所で四三年夏結婚し、終戦までいたのだった。／弟博（私から三番目）は、徴兵に取られてテキサス州サム・ヒューストン兵営からミネソタ州スネリング兵営語学校へ送られて、日本語通訳の訓練を受けて後、友人東フランクと共に沖縄戦線へ送られた」とあるように、兄弟三人は、同じ収容所にいたわけではなかった。

それを三名一緒のかたちにしたのは、ハワイそして米本国で編成された「二世部隊」の第一〇〇大隊、四四二連隊、「情報学校」のミネソタ州スネリング兵営語学校、さらには「忠誠テスト」の結果、ノーノーボーイと呼ばれるようになるといった、戦争が生みだした様々な局面を映し出したいがためであったといっていいだろう。

三幕は、トゥールレイク収容所で「マンザナーと同じように食堂で働きながら絵画教室に通っている」秀男と、やはり画家をめざしている真理との会話、秀男の技量に対する岸田の評、秀男の兄がヨーロッパの戦場から戻ってきたこと、ドイツの敗戦が目前だといったこと、米軍は、南洋群島に進出、さらに北上して、沖縄への上陸がまじかになっているといったことなどが取り上げられていた。

四幕は、ニュヨークの八島太郎スタジオで再会した秀男と真理のやりとり、展覧会に出品した秀男の作品が優秀賞、真理の作品が入選したこと、秀男が真理のアパートに引越してきて、結婚生活がはじまったこと、秀男の個展を計画している話が出るが、秀男はそれを断ってしまい、真理を失望させること、お互いの生活が苦しくなっていくなかで、自分の思索にふけるだけの秀男に真理は離婚を決意する。

五幕は、「小橋川秀男を日本に紹介しようと執念を」燃やし、「九年目にようやく実現」させた下嶋哲朗と真理とが秀男と秀男の絵画についての話、二人の所へ、太郎の息子に連れられて秀男が登場、個展を拒み続けていた秀男に変化が起こっていたこと知って真理がほっとしたこと、そして

「天空をさ迷う小橋川の絵画」についての下嶋の語りが続いて幕になる。

小橋川の生涯と絵画については、下嶋哲朗の「伝記的側面から見る小橋川秀男の世界」や、カリン・M・ヒガの「強制収容所における小橋川秀男の芸術」、ベン・コバシガワの「画家秀男の人生と作品」、同じく「歴史の証言――沖縄ディアスポラにおける自伝的著述に関する考察」等に詳しい。そして、「天空舞うファンタジー」は、これらの論考に触発されて書かれたといっていいだろうが、何よりも、小橋川の数奇な運命とその作品への共感なくしては生まれるはずがなかった。

山城の共感は、その題目「天空舞う」という表現によく現れていた。「天空舞う」は、下嶋の言葉「天空をさ迷う」から取られていた。山城もまた、小橋川の「移民の世紀を生きた〈オキナワン・アメリカン〉の郷愁と流離の幻像が幾重にも織り込まれて」(仲里功) いる画面に心打たれたのである。小橋川の画面に沖縄の魂を見たといってもいい。それは、単に沖縄を忘れることがなかったということではない。作中の秀男の言葉を借りれば「ヤマトの純二世とも帰米二世とも心の持ちようが違う」ところから出て来るものであった。

戦争を生き抜き、異民族支配下の混乱に抗い、異国で生きた人生を描いた山城の戯曲三作は、逆境を生き抜いた人々へのオマージュであったといっていいだろう。しかし、それは単に、過去に生きた人々に向けられているわけではないはずである。閉ざされた中で、生き抜いてきた人々への賛辞は、新しい「明日」を求めている人々への応援歌になっているに違いないのである。

いまもって彼等が生きた時代とかわらないどころか、より厳しくなっているとさえいえるような状況が現出している今こそ、これらの作品が舞台化されて欲しいと思うのは私ひとりではないであろう。

4

戯曲三作とともに収録された小説二編「遠来の客」と「ベラウの花」は、二〇〇六年七月に刊行された山城達雄『監禁』に収録されている。再録ということになるが、適切な選択であった。両作品とともに、山城の特質がよく現れているだけでなく、山城の創作方法を知るうえで、この上なく大切なものだといえるからである。

「ベラウの花」の粗筋は、次の通りである。

ヨネが結婚のためパラオに渡ったのは一九三七年の秋。夫になる孝助は、南洋庁本庁所在地のコロールに近い、パラオ本島バベルダオブ島で「五町歩の畑を耕していた」自作農であった。夫婦は「島民」の若い男を五名も使い、主にパインを作った。コロールの町が近かったため、野菜も作って市場に出荷する。長女に次いで長男、そして次男が生まれた頃には、島に戦争が近づき、戦時体制が敷かれ、孝助は、現地召集される。ペリリュー島、アンガウル島に米軍が上陸し、危険が迫ったところで、ジャングルに避難。やがて、食料が不足し、栄養失調で倒れていくものが続出するなかで、ヨネも長男、次男を相次いで失い、このままでは長女も餓死させてしまうといった瀬戸際まで追いつめられる。

戦争が終わって四〇年、引き揚げてきた後再婚した夫もなくなり、夫の連れ子二人も、遺産相続で多額の軍用地料を手にして人生を誤り、連絡が途絶え、ヨネ一人で暮らしているところへ、知り合いの弁護士から電話が入る。那覇で世界平和大会が開かれるので、夫の意志をついで反戦地主になっている彼女に、参加を求めるものであった。最初、参加を断るが、大会に、ベラウの代表も来るということで気が変わる。ヨネは、再婚した男には隠していたが、ベラウでの戦争で、餓え死にの危機に瀕し、雇っていた男にやってしまった娘がいて、その消息が気になっていた。

大会が始まる前、ベラウの代表と会い、後でゆっくり話をするつもりであったのが、大統領暗殺のニュースが入り、彼は急遽、国に戻ることになる。失望していたところ、日本で開かれている学会にベラウから来ている学者が、彼に代わって報告するということが分かり、ヨネは、気をとりなおす。

ヨネは、会場に現れたのが男性ではなく女性であったことに驚く。そして、ベラウが、かつてヨネたちが暮らしていた国とはいえないほどに目覚ましく進展していることを知る。

ヨネは、女性と対面する。彼女の話を聞いて胸がはち切れそうになる。山城の作品の第一の特徴は、最後に心に残る場面を用意してあるところにあった。

残留孤児の問題は、山崎豊子の「大地の子」などの小説が出てきたことで広く注目されるようになったが、中国だけではなく、日本人が移民した国や地域の多くで見られた出来事であったし、「ベラウの花」は、おそらくこれまで、まったく取り上げられたことのない、ベラウでのそれを扱ったものであった。それが、事実あったかどうかは問題ではない。それは、どこでも起こりえた問題であったし、とりわけ多くの移民を出した沖縄の人々にとって、決して他人事ではなかったといっていい。山城は、そこをついたのである。

ヨネが「パラオに着いたのは昭和十二年の秋」だが、「昭和十二年のサイパン在留日本人中、沖縄県人は六〇・六パーセント、パラオ四二・一パーセント、トラック六四・五パーセントなどの数字には、南洋群島へ働きにいった沖縄県人のなみはずれた多さが示されている」と、澤地久枝の『ベラウの生と死』にはある。また「現地召集の戦死は二百六十四名だが、その六割近い百五十名（五六・八パーセント）が沖縄県出身」だともある。澤地はまたパラオの守備にあたっていた「第十中隊長杉本甲一郎の回想」だとして、「十九年末より食糧事情は日々悪化。二十年に入ってその度をまし、体力は日に見えて低下した」と記載された箇所を引いていた。中隊長でさえ、食料に事欠く事態が迫っていたなかで、何名もの子供を育てなければならなかった主婦が食料を手に入れるには、異常な努力が無ければならなかったはずなのである。

「ベラウの花」は、夫を軍に取られ、二人の男の子を栄養失調で失い、餓死させるよりはという思いで島民にやった、捨てたに等しい子供を探しもとめる物語であった。

そしてその結末の応対がひときわ胸を打つものとなっていたが、それを際立たせていくのが、ホテルの喫茶室から見えた木の葉叢の中に見えている紅色の花であった。その花は、ヨネの前に現れたベラウから来た女性の右胸のポケットにも差し込まれている。

「空港から駆けつけ、ホテルの駐車場でタクシーを降りたら、この花が満開でしょう。運転手に頼んで取ってもらったんです。これ、ベラウの花。美しいでしょう」

「どれ、どれ、ベラウの花が沖縄に?」

清原は、不遠慮にマリア・レメリクの胸に顔を近づけ、頓狂な声をだした。

「南洋桜ですよ」

ヨネの顔から硬さがとれていた。

「ベラウの町や村に、この花の木がいっぱいあります。アメリカの信託統治になってからは、フレイミング・フラワー、炎の花と呼ばれています。ベラウには、まだ国花がないけれど、わたくし、この花が大好きで、ひとりでベラウの花と呼んでいます。沖縄でこんなに美しい花を咲かせているので驚きました」


彼女がベラウの花と呼び、アメリカ人がフレイミング・フラワーと呼び、ヨネが南洋桜と呼び、そして弁護士がホウオウボクと呼ぶ、いくつもの国の統治を経験した島の歴史を象徴するかのような、いろいろな名前を合わせ持つ木。

彼女が「大好き」で、胸のポケットに差し込んだ色々な思いの込められた名前で呼ばれる木に咲いた一房の紅の花弁。ヨネと彼女の話は、その「花の木」のあったありし日のベラウのある日の様子を誘い出していく。

ヨネに「南洋桜」と呼ばれ、彼女に「ベラウの花」と名付けられた「紅色の花弁」をつける「花の木」、その木の下で、忘れられない出来事は起きていたのである。

5

本書に収録されたあと一つの小説「遠来の客」は、「牧港住宅地区」として知られた米軍基地施設内で起こったメイド殺人事件を扱ったものである。

沖縄の人々が、米軍基地と同居しなければならなくなったのは、周知の通り、日本の敗戦によるものであり、その一つ「牧港住宅地区」は、一九五三年から五四年にかけて、米軍最初の「土地収用令」適用地として強制的に接収され「一千百八十一戸の将校、下士官、軍属の住宅とPX、小学校、プール、ゴルフ場、スケート場など」が建設され、「住宅は広々とした芝生の庭つきで、アメリカの地方小都市の雰囲気をかもしだしている」（『沖縄の基地』沖縄タイムス社基地問題取材班、一九八四年九月）と言われた。

『沖縄の基地』によると、「第十四、十五回の日米安保協議委員会で同施設内の住宅の代替施設が嘉手納飛行場などに完成するのを待って全面返還が合意された。そして昭和四十九年度から五十七年度までに、政府は百六十七億円を投じ、四百三十二戸を嘉手納飛行場へ、百九十一戸をキャンプ・桑江へ移設した。さらに、五十八年度予算に七十一億余円を計上、二百四十戸をキャンプ・コートニーなどに移設中で、六十一年度中には完全返還の見通しだ」といい、「これに伴い県、那覇市も地主の協力を得て同地域開発に本格的に着手、五十八年二月には、合同で進めてきた跡利用計画として、一般住宅、学校、公共・公益施設、緑地、モノレール施設などを配した二万六千人収容の「ニュータウン」構想を打ち出すなど」していると書いていた。

櫻澤誠『沖縄現代史 米国統治、本土復帰から「オール沖縄」まで』（二〇一五年十月）によると、「那覇市・牧港住宅地区（現那覇新都心地区）」は、「87年に全部返還となり、翌年に都市計画が決定され、92年度から土地区画整理事業が進められていく」とあって、「牧港住宅地区」が返還され、土地の「企画整理事業」が始まっていった時期に関して、多少のずれが見られるが、「遠来の客」は、その事業の始まっている「地区」を舞台にしたものであった。

作品は、次のような粗筋からなっている。

メイド殺人事件が起こったのは、ブランナー夫人の住宅地で、一九六六年のことである。事件が起こった翌年の一九六七年、ブランナー夫人は、アメリカに戻り、二〇年振りに、ソウルに行く予定をかえて沖縄にやってくる。

登志子が、空港でブランナー夫人を迎え、那覇を案内することになったのは、三年間、ブランナー夫人の所に務めていたことによる。ブランナー夫人の要求をいれ、再開発のためほとんど元の形をとどめてない返還地跡へ案内すると、女たちが集まっていて、なにやら、ブランナー夫人の屋敷跡だったあたりで、お祈りをしていた。

ブランナー夫人は、その集まりについて、登志子に訊ねる。登志子は、そこで起こったメイド殺人事件を解明するために集まって居る女性たちだと話す。登志子は、ブランナー夫人の挙動から、彼女が事件に関わっていたことを確信する。ブランナー夫人が沖縄を立つ日、見送りに行った登志子が、夫人に「あなたが犯人だったのですね」というと、夫人は、その詳細はあとで手紙に書くといい、登志子の前から去って行く。

三カ月後、忘れかけていたところへ、手紙が届く。そこには、登志子が思ってもみなかったことが書きしるされていた。

『新沖縄文学』82号は、第一五回新沖縄文学賞の「選評」を掲載していた。「遠来の客」について、大城立裕は「米軍ハウスでのメイド差別による殺人事件の推理ドラマに終わってしまったところが惜しい。その先の理恵の気持ちと立場まで筆が及んでいたら、文学作品としてより高いものになったと思う」と評していた。同じく牧港篤三も「一見スリラー小説めくが、末尾の文章は、大事なカタストロフィを述べる箇所だけに、文章に一工夫ほしかった」と書き、やはり「スリラー小説」に近いものとして受け取っていた。

「遠来の客」は、大城や牧港が評している通り「推理ドラマ」「スリラー小説」といった受け取り方をされても不思議ではなかった。山城作品の多くが、「推理ドラマ」仕立てになっていることは疑えないが、それらは単なる謎解きで終わっていたわけではない。事実が解明したところで見えて来た、新たな関係の萌芽に目をむけさせることに主眼がおかれているのである。

「ベラウの花」の、ヨネとマリア・レメリク、「遠来の客」の登志子と理恵に起こるであろうその後の関係については暗示するだけに留める。大城、牧港がともに「筆が及んでいない」「文章に一工夫ほしかった」と惜しんだ点にこそ、山城の狙いがあった。

山城の二つの小説の大きな柱をなしているのは、他でもなく米軍基地がもたらす悲劇であり、移民地における戦争の惨劇であった。そしてそれぞれの出来事を、基地の住宅地で働いていた女性と娘を残留孤児にしてしまった寡婦とに象徴させていた。

二つの小説は、一方を、女性たちが団結して事件を解明していくという形で、他方を、事件の当事者たちが対面していくといった形で、描きわけていた。

山城の小説の最大の特質は、日常の生活に、不意に入り込んできた過ぎ去った日の忘れてしまいたい出来事と向かい合わざるを得なくなった女性たちを作品の中心に据えたところにあった。山城は、女性に焦点をあてることで、より切実な状況の切り取りができる、と考えていたのではなかろうか。山城の哲学のあらわれと受け取ってもいいだろうが、戦中から戦後にかけての女性たちの情動を、本書に収録した二つの小説は、見事に描きあげていた。

言葉を入れる、言葉を繋ぐ
——東峰夫の作家姿勢

東峰夫が「文学界新人賞」を受賞したのは、一九七一年。同年一二月号『文学界』は東の作品「オキナワの少年」とともに「受賞のことば」を掲載していた。

東がその喜びを率直に表した「受賞のことば」を取り上げて、大城立裕は次のように述べていた。

　ある少年が、高校を中退して、ときに仕事も投げて部屋籠りして文学に励んでいた。父は酒の勢いでこの息子を譴責し、「山之口貘如うし貧乏文士になゆる心積な？　やめて働けえ、おい！」などというので、少年は口答えして「判たんよ。東京へ行んじ行方不明になって、なあ帰らんことよ！」と芥藻屑いいあって家をとびだしたが、七年後の東京で、文学界新人賞に当選した。そこで、「さて」と手を揉んで考えたのは、まず田舎の母に手紙を送ろう、ということだが、その文案が、つぎのようにある。

　「おっかあ、我や芝居書屋の免許とったんど。喜びよ。位牌元祖に手合せれよ」

大城が、「ある少年」の文学賞受賞までのいきさつを述べ、続けて「受賞のことば」を引用したのは、そこに出てくる「位牌元祖」に注目してのことであった。それは、今にいたるまで沖縄の人々に「祖霊信仰」が脈々と受け継がれていることを示すためであったが、ここで注目したいのは、「位牌元祖」にちなむ件ではなく、「新人賞」受賞までのいきさつについてである。

大城は「少年」が、高校を中退したこと、就職しても長続きしなかったこと、部屋にこもって文学に熱中していたこと、父と口論になったこと、家を飛び出したこと、そして東京に出て七年後文学賞を受賞したといったことを述べていた。

そこには、「少年」が何をやりたくて上京するのかについての明確な情報はない。あるのは東京に行って「行方不明」になってやるというものである。大城は、その引き金になった「山之口貘」に関する父親の言葉を「島でのさようなら」から借りてきていた。

「島でのさようなら」は、集団就職で島を出ていく「ぼく」を主人公にしていた。仕事をしないで家に籠って本ばかり読んでいる「ぼく」の生活を変えたいと思って、父親は「山之口貘」を例に出して説得にあたる。それも一人ではむつかしいと思ったのか、叔父に協力を求めていた。叔父は「ぼく」に、勉強するといってもう一年半も部屋にこもっているが、そろそろ仕事に出て、その隙ひまに勉強したらという。「ぼく」は、叔父に、嘴を入れないでほしいとにらみかえし、父親に向かい、兄だけをえこ贔屓するのなら、「内地」にいってもう帰ってこないといい放つ。叔父と父の説得に応ぜず、部屋に逃げ込んだ「ぼく」に対し、父親も、勉強、勉強といっているようだが、何の勉強だと問いただす。そして、「山之口貘如うし、貧乏文士になゆる心積りやあらぬな？」といい、「この前の新聞にマギマギと、山之口貘三五年ぶりに帰るンち、載って居ったしおとうは読で、すべて知っち居しがョ、おわい屋つとめたィ日雇人夫になったィ、苦労のだんだん仕ィかさねて、聞ち居ンなッ」と新聞から仕入れたにわか情報をたてに「ぼく」の翻意をうながす。さらに「ぼく」が外に出ていこうとしている背後におっかぶせるようにして「山之口貘、あれが如し文学が認めらりれや、これはまた、りっぱなもんやしがョ、危なさる綱わたて、はたして認めらるるか、才能があるか、そこッそこやサ！」と、暗にお前には無理だという憎まれ口をたたくのである。

山之口貘は、貧乏文士の代名詞であった。父親は、「ぼく」が「勉強」しているのは、「文学」をするためだと思っていて、憂慮しているのである。山之口貘のように「認めらるる」のならまだしも、才能の有無もよくわからないまま、上京するのは無謀すぎると考えているのである。しかし「ぼく」は、父親の説得に応ぜず、上京する。

「オキナワの少年」の主人公「つねよし」も、「島でのさようなら」の「つねお」も東峰夫の分身だと見て間違いない。東の「略歴」に照らしあわせると、上京の目的ははっきりしていた。東は「芝居書屋の免許」をとるために上京するのである。

『貧の達人』で、東は「はじめて東京にやってきたのは、一九六四年四月だった。オリンピックがあった年だ。ぼくは二十六歳になっていた。中学生や高校生たちと一緒に、集団就職の船でやってきたのだった」といい、最初についた仕事について述べたあと「さて、東京に出てきたのは、文学修業のためであった。とにかく書きたいことがたくさんあった」と書いていた。

東は、あきらかに「文学」をやるために東京に飛び出していったのである。そしてそれは、東だけではなかった。父親の言葉に出てくる山之口貘も、一度目はともかく二度目はそうだったに違いない。文学者になるため上京していったのは、明治時代の末吉安持にはじまる。そして大正期には宮城聡が、昭和戦前期には与儀正昌がといったように続き、東峰夫にいたるのである。文学者になるためには、東京に出ていくしかないと、沖縄の文学志望者たちは思っていたのである。

○

東は「島でのさようなら」で、上京までのいきさつを書いていた。文学界新人賞そして芥川賞のダブル受賞となった「オキナワの少年」は、猥雑な土地を逃れあこがれの地を求めて嵐の夜ボートに乗り込むまでの少年の日常を描いていた。その少年が、風の吹きすさぶ港を出帆し上陸したのは、「東京」であったということになるのだが、上京当時のことを書いたのが「ちゅらかあぎ」である。

「ちゅらかあぎ」には、東京で見聞した出来事が幾つも書き留められている。その一つは、言葉に関するものである。「ぼくは美しい言葉をききほれて、ポカンとしてしまった。流暢な日本語を、なまできいたのは初めてのこと」だったし、「ぼくは沖縄で、ラジオやテレビや本などから標準語を身につけていたつもりであったのだが、ここにきてはあまり役だたない」という思いにとらわれる。そして「早く言葉になれたい。現在のぼくは、いいたいこともじゅうぶんにいえないでいる。おじおじしている」と自分の言動を顧みると同時に「東京にはいろんな土地の人々があつまってくる。そしてそれらの土地の言葉をもちこんでくる。田舎言葉のなまりも、もちこんでくるのだ。そして仲間どうしはだいたいにおいて、田舎言葉をつかっている。ぼくはそんな言葉をよくきいた。そこでぼくは、どっちが本当の言葉だろう」といった疑問にとらわれたりする。

その二つは、肌の色についてである。「東京の人はみんな色が白い」といい、「ぼくは東京にきて色の白い人たちばかり出会うので、それが目につき気になってしかたがなかった。沖縄では色の白い人は事務員をしているか建物の中で働いている人で、ひとくちにいって尊敬できる人たちなのだ。／だから東京では会う人ごとに気をひかれ緊張したのである。ここではみんな一様に色白で区別」がつかないのである。

その三つは、他人への無関心についてである。「人混みの電車にゆられて出歩くのは、砂漠で水がかれるみたいに、心の潤いを失ってしまうようだ。都会に住む人間はおたがいに顔をみないのである。視線があうといそいでそらしてしまう。心をかよいあわせるゆとりもない」ようで「無表情なゴムの顔、すましている蝋の顔、無関心なにかわの顔、そんな顔がうじゃうじゃいた。そんな顔のまえでは、自分もそれに感染して感情をころした顔にならざるをえない」のだが、その一方で「毛布にくるまれた猫を抱いて」泣いている心優しい女性もいたりするので、対応にまごついてしまう。

その四つは、都会の不便さについてである。「田舎みたいに店頭にいけば、何でもあるというわけにはいかない」という面もあって戸惑ってしまう。

その五つは、出身地沖縄と関することである。東京に来るにはパスポートがいること、日常語は、英語ではなく日本語であること、りっぱな日本民族であるといったことをいちいち説明しなければならないような、日本人一般の沖縄に対する理解度の乏しさにいらだたしさを覚えたりする。

そしてその六つには、日本に駐留する兵士たちの態度の違いについてである。「途中で三人づれの米兵にあったが、彼らは遠慮ぶかそうにして歩いているのだ。肩ひじはって、大手をふってのし歩くということではないらしい」と、沖縄に駐留している米兵らの暴力的なふるまいが尋常ではないことに気づかされる。

「ちゅらかあぎ」は、そのように上京してきて勤めはじめたころに体験した職場、そしてその周辺で出会った事象について書き留めていたが、例えば一に関しては、山之口貘の詩に、二に関しては与儀正昌の小説に、そして五に関しては宮城聡の小説にも見られるものであり、東京は、相も変わらず沖縄から上京してきた者たちを当惑させていたことがわかる。

「ちゅらかあぎ」は、しかし、そんなことを書こうとしたものであったわけではない。「何とかして小説が書けるようになりたいという」のが、「ぼく」の一番の関心事であり、そのことをめぐって書かれたものであった。

うと思う。

「ぼく」は、文学界の広告で『文芸首都』という同人雑誌のあることを知って、入会を申し込もうと思う。

さてぼくは会費をだして自分の作品発表のめどをつけなければならない。会費はひと月たったの二百円。会員には「文芸首都」が送られてくる

研究会にもいってみよう。みんなの顔をみてくるだけでもいいのだ。話しあえそうな人がいたら話しあってもいい。むしろ強い友好関係を結んでもいいのだ。（中略）

入会を申込んだら、きゅうに活発になってきた。自信もわいてきて、押しもきくことがわかった。しかし自重して、文学活動でそれを発散させるとしよう。たたけよ、さらば開かれんだ。一段一段のぼってきて、こんどは同人雑誌に入会することにしたのだ。

「ぼく」は、『文芸首都』から、入会規定書が来ない前に研究会の日が来たので出かけて行く。会場を探し当てたのはいいが、だんだん気後れしてくる。それはたった一度も雑誌を購入したことがなく、読んだこともないところから来ていた。まずは雑誌を買おうと思って探すが見つけられない。再び、会場の前まで、もどって来る。それは閉会して会場から出てくる「文学志望者」たちに「行きあってみたいと思った」からであった。

「ぼく」は、仕事を休みがちになり、社長から「やらないならやめてくれ」と言われる。「ぼく

が休むのは、本が読みたいからなので……そして考えを多くし精神を深くして、小説家になりたいからなので」あるが「小説家になりたいといっても、仕事をやめて乞食のようにはなれない」し「それ一辺倒にはできない」と思う。「中途半端はいかんというけれど、では小説家になるためには、どうすればいいのだろう。どんな努力をすればいいのだろう」と考え込むことになる。

ある日「ぼく」は、神保町の古本屋で、『文芸首都』を見つける。そして合評会に出ていく。掲載された作品の批評がなされ、「ぼくも発言したくてうずうずしていたが、にぎりこぶしをつくって、掌にぎゅうぎゅう押しつけて我慢」している。「結局、様子をみにいったにすぎないという結果におわったのだが、それでもよかったのだ。ぼくには自信がわいてきた。いたずらに彼らを畏怖することもないのだということがわかった」のである。

「ぼく」は、仕事をやめ、日雇いになり「念願だった」「一日働いて、二・三日休んでは勉強するという生活」が始まっていく。そして「七年後の東京で、文学界新人賞に当選」するのである。

○

「ちゅらかあぎ」は、「文学界新人賞」を受賞するまでの日常を描いていた。集団就職で上京し、小説家になりたいと同人雑誌の会員になり、仕事を辞め「一日働いて、二・三日休んでは勉強するという生活」のなかで生まれたのが「オキナワの少年」だったのである。同作はまた第六六回芥川賞を受賞することになるが、東は「人物地帯」（『沖縄タイムス』一九七二年一月二二日）で、「あれに書いたことはすべて体験のみ。実は、三年ほど前、同じ題材を使い、客観的に書いて応募したことがあるのですが、ボツになってしまった。くやしいので、今度は主観的な表現方法で書いてみたのです」と語っていた。前日二一日の新聞には「わたしはフィクションでは小説をかけず、こんど書こうとしている作品も二十五歳までに沖縄で体験したわたしの心に残っているものである」と語ったということが報じられていた。(「評価された斬新さ　たった一作で金的　東京で日雇いしながら『オキナワの少年』で芥川賞の東さん」『沖縄タイムス』)。

東の作品は、そのように「フィクション」ではなく「体験した」ことを踏まえて書かれたものであり、その「姿勢」を、東は上林暁に学んでいた。

> 上林暁が好きなのは、作家としての姿勢に誠実さが感じられたからだ。日常生活のことをありのままに書いていて、フィクションはなしだった。そこが気に入ったのである。自分もそんな姿勢で書きたいと思った。包み隠さずさらけ出すこと。真実を語るためには、それしかないと思ったのである。
>
> 日常生活の中に書きたいことはたくさんあった。フィクションを用いる必要性を感じなかった。生活の中の大問題を、真正面から書けばよいと思っていた。

東が創作態度を学んだ上林暁は、周知のとおり「私小説」作家として知られていた一人である。「私小説は、作品の主人公がイクォール作者自身というふうに目されていて、作者自身の身辺雑事を日記でも綴るようにいわばありのままに語るというのが、だいたい私小説の通念」だと述べたのは平野謙である。平野はまた上林暁たちの私小説が「明治・大正の私小説とはそんなに質的にちがわないオーソドックスな私小説だとすれば、伊藤整や高見順の私小説にいたって、よかれあしかれ戦後の私小説が出現した」といえるかもしれないといい、上林暁たちの「オーソドックスな私小説からみると、伊藤整の私小説も高見順の私小説も多少ともデフォルメされていて、私小説固有のリアリティというものが変質しているように思われる」(「戦後の私小説」『平野謙全集第五巻』)と述べていた。

上林暁たちから伊藤整たちへと「私小説固有のリアリティというものが変質」していくといった「変質」論以前に、私小説作家を「破滅型」や「求道型」といったように「型」で区分していく論があったが、上林暁はいうまでもなく後者に属する作家であった。上林に小説の方法を学んだといっていい東も間違いなく「求道型」に属する作家であるといえた。

東には「生きていて…何しなければならないか…それがわからなくては…生きていたって…」(『オキナワの少年』)という気持ちが少年のころからあった。トルストイや聖書が彼の座右の書になったのも、東に、求道的な傾向が強くあったがためであろう。

東の創作動機に火をつけたのは上林暁であった。しかし、東の小説を彩っている最大の魅力である「方言を駆使して地方色を強調した手法」(永井龍男)、「本州人にはない独特の技法と、沖縄方言の使い方に魅力があった」(大岡昇平)、「少年の作文だが、方言もうまく使って、まあ読ませる」(瀧井孝作)、「沖縄の日常語を大胆に駆使している」と芥川賞選考者たちをうならせた「沖縄口」使用は、林芙美子に学んでいた(「『オキナワの少年』を書いた頃」『民主文学』二〇一七年六月号)。

「沖縄口」の使用に芥川賞選考者たちが目を奪われたように、誰もが東の「沖縄口」使用には驚嘆するところであるが、そこには普通の「沖縄口」に漢字を巧みにあてはめるといった東ならではの工夫がなされていた。

小説に「沖縄口」を使用するといったかたちは沖縄の近代小説の出発を告げたといわれる山城正忠の「九年母」にすでに見られる。そしてそれは大城立裕にまでおよび、以後一種のブームさえ巻き起こすが、東のそれは、彼以前の作家の作品には見られない、自在で闊達な「沖縄口」となっていた。そしてあと一つ、彼の作品には、他に類を見ない特色があった。

将来を嘱望される沖縄の書き手たちによる座談会(「創作の周辺」『新沖縄文学』八二号)で、東は「僕は写実的な夢の断片を幾つか集めて途中にちょっとした言葉を入れたりしたら、一つの物語になるんじゃないかと思ったんです。だから起承転結になるような夢を四つ集めて、言葉を入れてそれを繋いで、幻想小説を書いたんです」と語っていた。「幻想小説」も確かに彼の特色をなす作品の一系列ではあるが、「幻想小説」だけではなく、「オキナワの少年」から「ママはノースカロライナにいる」といった一連の「私小説」作品まで、「言葉を入れたり」「言葉を入れてそれを繋いで」いくといった方法が駆使されていて、その言葉の「入れ」かたに東の作品の最大の特色があった。

○

東は『貧の達人』のなかで、『文学界』の編集長だった人が、「この作品を発表するに当たって『トルストイの言葉』を全部削るつもりだったらしく、赤インクのバッテン印をつけてあった。公安にいちゃもんをつけられる前に、聡くも自己規制して、ばっさり削除する手はずであった。いわば編集者による思想の検閲である。それを編集部員の重松氏が連絡してくれたので、ぼくは文春に出かけていって、泣いて懇願したのだった」と書いている。

東の第二作「島でのさようなら」には、「トルストイの言葉」が、何個所か出てくる。編集長は、東の言うような「思想の検閲」だけでなく、他の作品からの引用にひっかかりを感じての処置に出たのではないかと思われるが、それを削られることは、創作の方法を否定されるに等しいものであった。東は、まさしく「泣いて懇願した」に違いない。

東の困惑は、ここに始まるといっていい。『貧の達人』には、さらに次のようなことが取り上げられていた。

担当の編集者、萬玉氏はいったものだ。

「政治や経済のことは、専門の学者に任せておけばよい。専門家でもない、しかも高校を中退した者に発言の資格はないだろう」

「愛なんて言葉を気安く使うなよ。それは手垢に汚れたポルノ用語だぞ！」

その言い分にがっかりさせられた。とどめの一撃といってもよかった。その後、『文学界』の編集長は湯川氏に変わった。で、この人なら認めてくれるかも知れないと、作品を送ったのだ。すると呼び出されて、こっぴどく説教されたのである。
「巷の宗教家がべらべら喋りちらしているようなことは書くな。こんな作品がまかり通ると思ったら、あんたゴーマンだぞ！」
斜に構えながら、そういったのだ。他人に向かって、「ゴーマンだぞ！」と言い放つほどのゴーマンがあるだろうか？　もういやだと思った。

東にとって、これほど悔しいことはなかったのだろう。編集者とのやりとりが「ガードマン哀歌」にも出てくるのである。

文芸雑誌の編集長や編集者とのやりとりで泣かされたのは、もちろん東だけではない。例えば大城立裕だが、「ある本で、会話文にこんな言葉づかいを出した。『そんなことをしたら、どの世間から顔をもって歩かれますか』――これが編集者には意味がわからないということであった。しかたなく私はなおした」というのである。そして大城はそのあとで、その会話文を「どの面さげて世間を渡れますか」と直したことで、「私の主人公は沖縄人ではなくなったのではないだろうか。小説でなかったから安易に妥協したのだが、私はすこし後悔している」と書いていた。

東のように「説教」されたり、大城のように「後悔」したりしているのは、沖縄の作家たちに限らないだろうが、より多く沖縄の作家たちが味わってきたのではないかと思わざるを得ない。

東は、「ダチョウは駄鳥!?」（二〇一七年六月『民主文学』）のなかで、ダチョウに呼びかけるようにして、「『現実はここにある。だが夢だの理想だのは、どこにあるんだ？』といわれたって、聞かんふりをしたらいいよ。今どきの編集者は大抵、同じことをいうんだから。耳にタコができるほどだ。あんな連中のいうことをきいていたら、それこそ悶え苦しんで、結局はくたばっちまうことになる！」と書いていた。編集者の言うことを無視すれば、作品の発表場所が狭まってくることはまちがいないだろう。作品の発表もますます少なくなっていくに違いない。それはしかし、東に、東の理想とする小説を書く発条にもなっていくはずである。

東は『貧の達人』のなかで、次のように書いていた。

自治政府、それが政治の理想である。もちろん生協主義の経済も理想である。それらはユートピアのように、どこにもない場所、いまだ実現されていない生活環境だ。でも中学生の時から、それが僕の理想であった。

『オキナワの少年』には、汚れきった町から無人島へ逃れようとする、少年の希望が書かれている。その頃からの夢なのだ。じつに五十年の人生をかけて、首尾一貫、追及してきた夢なのである。そしてそれは悲願でもある。

東の「悲願」が結晶した作品、編集者の意向など見向きもしない、東ならではの、そのような作品を待望している読者が幾人もいるのではなかろうか。

「南の傀儡師」をめぐって
――星雅彦の初期小説

星雅彦の「南の傀儡師」が、『新沖縄文学』に掲載されたのは、一九六六年七月。以後、星は「濡れた雌猫」(六七年二月、四号)、「風媒花の旅」(六八年二月、八号)、「発作」(六八年一〇月、一〇号)、「慰霊曲」(六九年二月、一二号)を発表、「新鋭」として『新沖縄文学』の常連となり、七〇年代に入って「遺棄兵士の証言」(七〇年四月、一六号)、「石碑」(七一年一二月、二一号)、「呪縛のあと」(七六年六月、三二号)等を発表していた。

『新沖縄文学』への星の登場を飾った「南の傀儡師」は、「昼の唄」、「夜の唄」の二部からなっている。同じく「昼の唄」も、二分に分けられるが、その前半は、主人公山口の交友関係および彼の女性遍歴を扱っていた。

山口は、一二歳のとき、熊本に疎開、二二歳で結婚し、三一歳のとき離婚、その後「奔放な情事の日々」を送り、「ちょっとした気紛れから」「父の墓参」にかこつけて、戦後初めて古里に帰ってくる。その時、山口は、幼友だちの一人仲村の紹介で順子を知り、たちまち関係ができる。東京にもどった山口に、順子から一緒に生活したいので上京したいという手紙が来る。山口は「狼狽」し、仲村に、順子を沖縄に「引き止めて欲しい」という手紙を送る。

山口が「沖縄で再出発のつもりで」東京を引き上げてきたとき、仲村から順子が「アメリカ人と結婚した」ということを聞かされる。山口は「苦い思いで納得」しながら、「なぜこんなに動揺をきたしたのだろうと」考え込んでいると、仲村が「結局、なにもかもすべて、おれたちはアメリカに操られている！」という。

「昼の唄」の前半部の概略であるが、後半は、次のようになっている。

久高島の海岸には「白い石」があるという仲村の話を聞いて、山口は、「喫茶店のたたきのコンクリートに嵌めこんでみたい」と考え、仲村と二人で拾いに出かける。「白い石」は話ほどでもなく、昼食を取った後、あたりを散策していると、岩場で、裸の少女に出会う。声をかけると、少女は、駆け出し、仲間たちの泳いでいる海中へ飛び込んでいく。山口は、裸で飛び込んで行った少女に目を奪われる。

星が、「昼の唄」の後半部分を久高島にしたのは、裸で遊ぶ少女を登場させるのに違和感のない島であったからに違いない。そして、裸で泳ぎ戯れている少年、少女たち、とりわけ岩場から裸で飛び込んでいく少女を登場させることで、一つには、山口の思春期をそこに重ねることができたということがある。

久高島の選択は、また、島の海岸から「マブニ岳」が見えるということにもあった。マブニは、沖縄戦を指揮した司令官が自決したところであった。そこが見えるということで、いやでも沖縄戦を思い出させた。さらには、久高島が、数ある離島の現状を照らし出していたということもあるが、重要なのは、裸の少女で表そうとした「聖地」であるということであり、それは、後半の「夜の唄」の女の世界との違いを際立たせていくための方途であったといっていい。

「夜の唄」は、那覇を舞台にしている。

山口は、「総合芸術の会という文化サークル」に属している屋比久の、会員たちに対する不平不満を聞き、屋比久と共通するものがあるのを感じ、いらだたしい思いにとらわれる。癒されない焦燥感、行き所のない鬱憤を抱えて、山口は、女のいる場所「ちっぽけな特飲街」で「陰鬱な淫売窟の並ぶ十貫瀬に「女が欲しくなって」向かう。

山口は、かつてそこで二度とも女との間で失敗したことを思い出し「女を買う気がしなくなって」街の外れに出たところで、「支那服を着た女」と出会う。女は「酒場」の勤めを終えて帰るところだといい、一緒に歩き出す。

しばらくして女に、あたしの家でコーヒーを飲もうと誘われたことから、一夜をともにすることになる。山口は、「この女に、おれは自分のすべてを賭けてみよう」と決意し、「どんな過去があっても受け入れよう」と、女に「結婚を誓った」のであるが、朝起きて、女に「黒人との混血児」がいることを知り、その誓いが急速に崩れていくのを感じる。

女は、山口の変化を知り、一緒に頑張れば、なんとかなるという。そして「アメリカのお蔭で、あたしたちの生活はだんだんよくなってきたことだし」といい、将来について語りつづける。山口は、順子のことで仲村がかつて言い放った言葉を思い出し、「君のいう通りだよ。なにもかもアメリカのお蔭で、ここまできたんだ。……しかし、どこかにカイライシがいるような気がする。……」という。

作品の題名の出どころとなった場面で、作品は、山口が、「重い足を引きずるようにして」女の部屋を出ていくところで終わる。

「南の傀儡師」は、山口の「昼」と「夜」を「久高島」と「那覇」を舞台にして書いていた。それは「聖」と「俗」を照らし出す方法といえるものになっているが、力点はもちろん後者に置かれていた。

『新沖縄文学』の選考委員であった嘉陽安男は「南の傀儡師では、一夜、雨の街角で拾った女に混血の子がいて、その子の悲しさに釣られて女と結婚する気になったり、諦めたりする最後の章まで、南海の孤島に住む人間たちを操る『傀儡師』を、山口という男を通じて、はっきりさせることができないのである。山口の女性遍歴は、いったい何を彼に与え得たというのか。宮里や中村なども、どのように『傀儡師』に操られているというのか、わかりそうでわからないのである」と評していた。

嘉陽は作品を読み流したように見える。山口が、女と結婚する気になったのは、混血の子の「悲しさにつられて」というのではなかったし、また「山口の女性遍歴は、いったい何を彼に与え得たというのか」といった問いなどにそれは表れている。

作品は、順子が「アメリカ人と結婚した」という話を仲村から聞いて、山口の体内に「ある暗い粘液質なイメージが」「燃え始めた」と書いていた。そのあとで「体内にくすんでいるあるイメージを捉えた」といい、「それは性に対する不可解な劣等感であった。対象の原動力が外国人であるということ、それが彼のコンプレックスを痛烈にしているのだ。かつて意地の悪いある外国人は、日本人を酷評して『なにもかも小さい』と断言した。彼はその言葉を想いおこしていた。それらばく然としたインフェリオリティー・コンプレックスの背後から、彼ののうりにはほうふつとして、志津子と別れたあとの、奔放な情事の日々が折り重なってくるのだった」と書いていた。

さらにその後、山口の「ドイツ人のクラウスという恋人がいる」啓子との情事、啓子の水着ショウのモデルで「フランス人のダニエルとも関係のある」明子との情事に触れたあと、「彼は啓子とのときも明子とのときも、次第に陰惨な性愛に溺れてしまったのである。あの野獣的ななかなしい闘争の日々は、なにを意味したのだろうか。彼は外国人から彼女たちを奪い返してはみた。しかし暫時急速に、心の裡にこんとんとした、にがにがしい敗北感がしこりのように残っているのを感じた」と書いていた。

ここから見えてくるのは、山口の「女性遍歴」が、「外国人」と関係していた女性たちとの「性愛」であったということである。

「山口の女性遍歴は、いったい何を彼に与え得たというのか」ということでは、「外国人」にたいする山口の「コンプレックス」さらに明確にいえば「インフェリオリティー・コンプレックス」

であったといえるが、それを乗り越えるために山口は、「外国人から彼女たちを奪い返してはみた」ものの、「にがにがしい敗北感がしこりのように残っているのを感じ」たというのである。

「女性遍歴」が山口に与えたその「敗北感」を、端的に語っていたのがほかならぬ「女」に結婚を誓いながら、それがたちまちのうちに崩れてしまい、「女」の部屋を出ていくといった結末であった。

「南の傀儡師」に見られた、アメリカ人と関係する女性、そして混血児の登場は、星雅彦の初期作品を彩る重要なモチーフとして、注目されてしかるべきもので、二作目の「濡れた雌猫」には、次のように出てくる。

「奥山さん、女の赤ちゃんが誕生しました」

間もなく、別の看護婦が赤子を抱いて現れた。彼女は干からびた顔を、くしゃくしゃにして奥山に言った。「まるで、外人の赤ちゃんみたいですよ。ほら、ごらん、なんて可愛いんでしょう！ミス沖縄ですよ」

僕は奥山の横から赤子を覗きみて、愕然となった。その剥いた生ま皮に包まれた醜い苦しげな小さい顔の、気味の悪い生き物は、頭の上にわずかなトウモロコシの毛をいただいていた。風貌も欧米人のもので、外国人の種子であることは疑う余地がなかった。

三作目の「風媒花の旅」には、次のような場面が出てくる。

「ね、失礼だけど、君のお父さんは外国人じゃなかったの？」

掃除をおえて去りかけていた和子は、立ち止まって愕然とした顔を向けた。その顔をみて彼は確信を得たように重ねて訊いた。

「そうだろう⁉」

「……」

和子は黙って頷いた。

四作目の「発作」には、次のように出てくる。

「あんた白人をどう思う？」

「肌の色が白いというだけの話さ」

「じゃあ金髪はどう思う？」

「ブロンドか。ブロンドの女は、たしかに魅力的ではあるさ。でも、黒髪の方が飽きがこなくていいと思うね」

「云っちゃおかな」と民子は例の薄ら笑いを浮かべた。「あのね、わたしのダンちゃんはね、金髪の子供なの……」と言って、民子はこちらの瞳孔を覗くように凝視した。

星が六〇年代に発表した初期作品には、そのように「外国人」や「混血児」が出てくるのである。そしてそれは、七〇年代に入って書かれた五作目の「石碑」まで続いていく。

「南の傀儡師」は、あとに続く作品に大きな影を落としていくといっていいのであるが、山口の「女性遍歴」が浮かびあげたのは、まさしくそのような「女」たちであったし、最後に登場した「女」に名前が与えられてないのは、その「女」が、特別な存在ではなかったということをさし示していた。「混血児」を抱える女性たちは、占領下にあって、特別な存在ではなかったということである。

マイク・モラスキーは『占領の記憶　記憶の占領　戦後沖縄・日本とアメリカ』のなかで、東峰夫の「オキナワの少年」を取り上げ、「この物語は占領地沖縄を女として表現している」として風景描写との関係をあげ、さらにカタカナ表記にも一つの秩序があるとしたうえで、「コザやオキナワという地形的な意味での実体と娼婦という女の肉体が、どちらもアメリカ人占領者からの侵入を受けるという点で結びつけられている」と指摘し、さらに「混血児」について、ノーマ・フィールドが『天皇の逝く国で』のなかで「混血児を『セックスそのものの具象化以外のなにものでもない』と述べている」と一部だけの引用にとどめていたが、ノーマ・フィールドは、マイク・モラスキーの引用した言葉に続けて、「いま、それをつぎのように補正しよう」として「戦争がもたらす混血児は、支配としてのセックスを刻印されているがゆえに、いっそう不快であると同時に好奇心をそそりもする存在なのだ」と書いていた。

マイク・モラスキーのいう「アメリカ人占領者からの侵入」、ノーマ・フィールドのいう「混血児は、支配としてのセックスを刻印されている」といった指摘に見られる「侵入」「支配」の影を、山口は、まざまざと「女」そして「混血児」に見たのである。

山口の乱脈を極めた「女性遍歴」は、そのように見ていくと、単に「奔放な情事」であったということにとどまるものではなく、占領者の「侵入」「支配」への抗いであったといえないこともないのである。

嘉陽は、また作品の題名に見られる「傀儡師」にこだわり、「南海の孤島に住む人間たちを操る『傀儡師』を、山口という男を通じて、はっきりさせることができないのである」と評していた。それは山口が「なにもかもアメリカのお蔭で、ここまできたんだ。……しかし、どこかにカイライシがいるような気がする。……」という言葉を踏まえているにちがいないが、「山口の女性遍歴」が、混血児の登場で終わっている点に注目すれば、「はっきり」みえてくるものがあった。

「沖縄の混血児は、米軍基地から発生した。それは、長期にわたる大規模な基地がある故に起こった特殊な人間関係である」と指摘したのは福地曠昭である。彼はまた「一九五〇年の頃の朝鮮戦争と一九六〇〜七〇年代のベトナム戦争の頃に、急激に混血児が生まれている。まさに混血児の集中的な存在は戦争の爪跡」（『沖縄の混血児と母たち』）であると指摘していた。

「南の傀儡師」には、そのような「戦争の爪跡」といえた「混血児」が登場していた。また、「混血児」が生まれてくる要因をなした沖縄戦を思い起こさせる場所や今もって戦争を思い起こさせる出来事が点綴されていたし、山口そのものが戦争の落とし子といえた「疎開」組であった。山口を疎開させ、その後「大規模な基地」を現出させ、「戦争の爪跡」が至る所でみられるようになる要因を作ったのは、沖縄をアメリカの占領下に投げ出した日本国にほかならない。

「南の傀儡師」は、「日本への復帰の願望」が燃え盛る中で、そのような願望を踏みにじり、いいように扱おうとしている「日本国」への意義申し立てを含んでいたといっていいのであるが、読み落としてはいけないものがあった。

川村湊は『戦後文学を問う―その体験と理念―』のなかで、「一九六〇年代初頭、あるいは五〇年代末から、〈性的なもの〉が現代文学のもっとも重要なテーマであり、題材であるという主張が、若い世代から、いや、必ずしも若くない世代の文学者たちからも、声高に語られるようになってきた。戦後の日本を大きく揺り動かしてきた六〇年の安保反対運動に、多くの文学者たちが参加したという熱狂的な政治の季節と、その燔祭の終わった後の挫折の墜落感と、一九六四年の東京オリンピックへ向けての奇妙な上昇感とが入り混じりあう時代状況だったのである」と書いていた。

星雅彦の作品は、施政権返還運動、ベトナム戦争反対、基地反対闘争といった、まだ政治の季節が続いていた頃に書かれていたが、〈性的なもの〉を重要なテーマにしていたといっていいものであった。

その〈性的なもの〉の一つのかたちとして星が取り上げたのが、「外国人」と沖縄の「女」たちとの関係であった。そのことを端的に語っているのが「風媒花の旅」に見られる「君のお父さんは外国人じゃなかったの?」という言葉である。「君のお母さんは」ではなく「君のお父さんは」なのである。

星の初期作品は、ポルノグラフィーとして読まれかねないものがあった。そしてそのような描写がどの作品にも共通して見られるが、それは反面であり、作品を貫通している現状への鬱勃たる抗いの情念を見落としてはいけないであろう。

〈夢〉の出所

――勝連敏男一九七七年〜一九七八年

1

一九七〇年代を「個人詩誌」「同人詩誌」が、かつてない数にのぼるほど創刊された「沖縄の戦後詩史の中では、最も活況を呈した時代であった」と指摘したのは大城貞俊（『沖縄戦後詩史』一九八九年）である。同じく高良勉も「沖縄戦後詩史論」（『沖縄文学全集　詩Ⅱ』一九九一年）のなかで「七〇年代は詩集と同人誌や個人誌が全面開花したのが大きな特徴である」と指摘していた。大城、高良の説に従うとすれば、七〇年代は、「詩の時代」であったといえそうである。

大城は、七〇年代が活況を呈したのは、「祖国復帰」という「歴史的なエポックを記した時代」であったことと無関係ではなく、「多様な価値観のせめぎ合う中で、自己を客体化し、沖縄のアイデンティティを探し求めることを目的とした表現行為」の現れであったのではないかとし、「祖国復帰」を「避けることのできない時代の刻印として」背負った「詩人たちの多くは、若い世代に属する詩人たちであり、六〇年代から七〇年代にかけて、いわゆる暗い『政治の時代』を己の青春として過ごした人々であった」と見ていた。

高良もまた「沖縄の『日本復帰（併合）』以後十年間は、〈政治の季節〉とその挫折、急激な〈日本本土一体化〉や系列化とそれへの反発、個人の実存とアイデンティティの危機という過渡期の苦しみの中で、詩表現も多様化し、アナーキー化していった」と述べていた。

大城、高良の両者が等しく指摘しているように七〇年代の詩人たちは、いやおうなく「祖国復帰」「日本復帰（併合）」といった動乱の時代を生きたといっていいが、その中の一人に勝連敏男がいた。

大城は、『沖縄戦後詩史』で、勝連敏男について次のように紹介している。


勝連敏男が、第一詩集『帰巣者の痛み』を上梓したのは、十八歳の時の一九六一年である、以後、一九六五年には『羽根のある祭り』、一九六七年『声の貌たち』、一九六八年『翼から弾機へ』、さらに一九七三年『島の棘はやわらかく』、一九七七年『帰巣と非命』、一九七八年『ある〈非望〉・ある〈宿運〉』へと続いていく。

私は沖縄の「戦後詩」の新たな起点は、清田と勝連の優れた営為によってその先鞭が付けられたのではないかと思っている。二人の詩人は、いずれも鋭い自己凝視と、対象を己の内部に引き寄せてその深源を透視して発する重たいことばを、『詩のことば』として確立した。


大城はそのように、勝連が清田とともに「戦後詩」の「新たな起点」をなす詩人であるとして評価していた。勝連を清田とともに「戦後詩」の「新たな起点」とする見解についてはいろいろな異見もあるだろうが、勝連の詩的出発が早かったこと、そして、その詩想が、「鋭い自己凝視」を通して生まれてきたものであったことについては異論があるようには思えない。

大城が指摘している詩想の特質は、すでに初期詩篇群に見ることができる。そしてその一つの到達点を探るとすれば、一九七七年から七八年にかけて刊行された詩集群に求めることができよう。

2

勝連敏男が、一九六一年から一九七八年にかけて刊行してきた詩集および未刊になっていた詩篇を集めて『勝連敏男詩集 1961 ― 1978』を刊行したのは一九七九年一二月である。これで、彼の初期の作品から七八年までの詩的営為をたどることができるが、勝連の特徴を端的に示しているのが七七年から七八年にかけて見られた詩篇群であった。

『詩集　帰巣と非命』（一九七七年）、『熱のある花（未刊詩篇）』（一九七七年）、『詩集ある〈非望〉・ある〈宿運〉』（一九七八年）、『亡郷のほとり（未刊詩篇）』（一九七八年）がそうだが、これらの詩集を彩っている圧倒的な一つのことばがあった。「夢」である。

勝連は、『勝連敏男詩集 1961 ― 1978』を編むにあたって、「望郷のほとり（未刊詩篇）1978」を最初におき、次に「熱のある花（未刊詩篇）1977」を置いていた。ということは、年代順に並べていたということではない。その意図が奈辺にあったのか明らかではないが、彼の詩の多くが「望郷」の思いに閉ざされていることを思えば、「望郷のほとり」と題した詩を巻頭においた詩集から並べていってなんら不思議はなかった。

「望郷のほとり」は、次のようにうたわれていた。

秋が逝くと過失が露わになった
樹の亀裂よりも
空の割れ目がはっきりする?
とにかく
暗い川に添うて歩いていく
むこうの岸辺から陽が落ちて
萎れた花さえ
渇きを露わにしている?
近親は空を泳いでばかりいる
夕べの空と蜩が
裸樹の亀裂を守っていた
冬だというのに
それでも

意味が沈んでしまった岸辺から
理由のない問いがはねかえってくる
呪っているのは季節のない空？
空いがいの空洞に
夢という夢は転落している？
墜落しっぱなしの約束

二節からなる詩篇の第一節の終行の前に見られる「夢」ということばは、第二節では「夢から醒めようにも」、「醒めた夢をもう視ることはできない」といったふうに出てくる。

そのように、詩集巻頭におかれた詩篇から「夢」の語が繰り返しあらわれてくるのであるが、「夢」の語の頻出は、一九七七年から七八年にかけて書かれた詩篇の大きな特色をなしていた。「夢」の語を一九七七年に刊行された『詩集　帰巣と非命』で調べていくと次のようになっている。

煩を厭わず「夢」の語の出てくる詩題とその行の語句をあげておきたい。（カッコの部分は、次行にまたがっている箇所で、／は行替えを示す記号である）。

I

1「贅の花」

1－1夢をさかのぼれば　1－2夢の粒は

2「夢の病巣で」

2－1ほろ苦い夢に身を沈めた　2－2夢にもみなかったものは　2－3夕べの夢でも　2－4

――夢に媚びるきみの未来は

3「声の幻」

3－1残夢をさやかにする　3－2夢の仕草をすれば　3－3夢がさみしいよ

4「水の十字花」

5「病んで夢巣で」

5－1夢の海では　5－2夢の空には　5－3夢みたことか　5－4夢の魚は土に病んだ

5－5夢や眼であることだろう　5－6夢が溺れ　5－7夢も眼も

6「〈目の力〉＝〈夢の糧〉」

6－1夢のかげのなかでもさだまらず　6－2〈夢の手〉は　6－3〈夢の力〉が　6－4きみはたぶん〈夢の糧〉　6－5夕ぐれの夢もまた　6－6〈夢〉のなかの〈痛み〉がやんでも

6－7〈時〉や〈夢〉はあるのか？　6－8〈夢〉もまた痛むのだ　6－9たったひとつの夢のかげにさえ

7「崖」

7－1かつては夢のむこうへいこうとして

8「〈棒にふるには〉」
9「『棒にふれ』とは」
　9－1きのう夢みたものが
10「〈非還〉」
　10－1それでも夢の眼を　10－2夢はどこかしこを
11「夢の眼」
　11－1残り陽と夢は　11－2「もういいよ、いままでは夢の眼を（しんじすぎてきたのだから。
　11－3「もういいよ、夢のまんまにすぎ（たものはひとつもないのだから。）」
12「〈自然〉と〈眼力〉」
13「風の道」
　13－1「みんな夢だ、それはみんな夢に（きまっている。）」13－2〈夢〉で測れば　13－3（みんなみしらぬ顔）だ、たとえば〈夢〉（の死者のように。）13－4〈夢〉は自然のみちをたどるのだ　13－5凍み痛い〈夢〉のなかでは　13－6埋もれてゆく夢のなかで。13－7とほうもない〈夢〉なども
14「風の棘」
　14－1やわらかい〈夢〉がとおる　14－2やわらかい〈夢〉　14－3〈夢〉もみんな道連れに。
15「帰巣」

15−1夢へゆくために　15−2まるで最後の夢のように
16「『響』の行方」
16−1夢という夢は　16−2夢から夢への距離は　16−3〈夢は夢にきまっている。だから（たれの着地もすでに／測定されているのだ。）〉　16−4もう少し夢みることを
17「非命」
17−1夢の粒であっても　17−2夢はかならず　17−3夢の涯に　17−4夢の棘が　17−5夢がたわまってきて　17−6夢の棘が

II

18「贅の故郷I」
18−1夢のまに仮死のむらみちゆく　18−2けものみちゆく夢人・根人の　18−3死は夢さえ縛る　18−4夢かぞえ　18−5夢人・根人は血にまぎれて　18−6夢だけがゆきつける　18−7夢は血を縛り　18−8夢は根を縛り　18−9陽のあるうちにめざめよ悪夢　18−10悪夢は
19「贅の故郷II」　19−1みなみる夢は　19−2夢の足あと暗く　19−3夢のままの椅子で
19−4月曜日の夢　19−5不意の悪夢と沈黙は　19−6夢にさえおびえる　19−7まひるの夢どき　19−8夢のいとなみ　19−9夢見る魚族は　19−10夢を威かくするので　19−11ことばと夢が

26－1夢に託したおもかげは
27「不安の秋からの帰魂」
27－1夢のかげならば　27－2みんな夢のしぐさににてしまう

『詩集　帰巣と非命　1977』に収録されている詩は二七篇、その中で「夢」の語句が現れないのは「水の十字花」「〈棒にふるには〉」「〈自然〉と〈眼力〉」の三篇。三篇には確かに「夢」の語句は見られないが、「水の十字花」には「疾風が目を」、「〈棒にふるには〉」には、「目をおおう」、「〈自然〉と〈眼力〉」には、「眼の皮膚」といったように「眼」「目」の語句がみられた。同詩集に「〈目の力〉＝〈夢の糧〉」と題した詩篇があることを思えば、「目」は「夢」の代替だといえないこともないが、そこまでひきつけるまでもなく、『詩集　帰巣と非命　一九七七』に収められた詩篇が、「夢」に覆われていることは歴然としている。そしてそれは、『詩集　帰巣と非命　一九七七』だけでなく、『亡郷のほとり（未刊詩篇）』では三六篇中二六篇、『未刊詩篇　熱のある花』では二二篇中一八篇、『詩集　ある〈非望〉・ある〈宿運〉』には五篇とアフォリズムが収められているが、五篇の中三篇、そしてアフォリズムにも「夢」に関する記述が多い。

「夢の力は、私に小説を書かせる。小説にかりたてる」（『文学界』一九七六年七月号、『夢の力』所収、一九七九年）といったのは中上健次だが、勝連も、中上の「小説」を「詩」にかえて、「夢の力は、私に詩を書かせる。詩にかりたてる」といえばいいえたであろう。それだけ際立った「夢」の詩を書いているのだが、もちろん「夢」の言葉は、勝連の詩にだけ表れてくるものではない。

トゲのある秋はバラのはなであるし
遺恨はわびしい道である。
君の世界の中心には火の鳥が飛ぶ。
愉快な女たちも
たとえばしんみりとした音楽を聞く。
メモリアルは恋人のようにやって来て
夢見は激しい。
夢もあやしい爪である。どこで言葉は咲けばいいのか。
どこで言葉はきみの眼の色を映すか。
夢は淋しい光。夢は怨念の痛み。
夢はラブレター。夢は不可能の美花
夢は生殖のバラの花。
風は夢の到来を告げない。
落ちていく犬たちの声のように
夢はたしかに秋の女になるか。

夢はどこから来るのか。
水車は寒いし　言葉は遠い舟だし
馬車は土地のジプシーみたい。
それを手放すな　今日きみは。

一九七七年一〇月に刊行された松原敏夫の『詩集　那覇午前零時』に収録されている「イメージのために」の「(3) 秋」の連に見られるものである。

塩づくり工場があって
ななめにいくつも
洗濯物のならんでいる町は
だれのでもない
ぼくの町だ
いびつな思念をこめて
不具な日々を酔うとき
町は
かかえた痛みを反芻する

ぼくに似る
宵をおぶり
鼓動の痛みをおぶり
放浪人のように光と対応する
夢をもつ少女をかゝえ
ぼくもあてのない旅をつづける

一九七八年二月に発刊された比嘉加津夫の『記憶の淵』の巻頭に置かれた「心臓にむかう言葉」の一連目である。

そのように勝連の詩集が刊行されたのと同時期刊行された詩集に収録された詩篇にも、「夢」の語は見られるし、比嘉の詩集についていえば、収録詩篇一六篇中、実に一二篇に「夢」の語句が見られるのである。

「夢」は、いつの時代の詩人たちにとっても、詩を彩ることばの一つであったにちがいないが、とりわけ七〇年代の詩人たちの詩にあざやかに刻まれたようにも見える。そして、その中でも勝連の「夢」は突出していたといっていいだろう。

3

勝連繁雄は『風の音律』(一九八一年六月)のなかで、「彼(勝連敏男―引用注)が、無意識界の深層心理を、夢の現実感をこめて、言葉を吐きつづける系譜なき血層の猟人をひきうけた詩人であることは間違いない」と述べていた。そして「ぼくには彼の詩の系譜を編むことはできないでいる」といい、次のように続けている。

系譜とは認識の眼がなせることだ。人が認識の眼をもって、彼の詩の解読に迫れば迫る程、彼の情念のもつ重さから遠ざかることになる。何故なら彼の情念の不条理性がもつ衝撃力は、夢の現実感としてあるからだ。といっても覚めたら夢は夢でしかなかったということではなく生きながらにして夢の中にある実在感をともなっているということである。だからこそ、彼の詩は、人間のもち得る(むしろもち得ない)ありとあらゆる深層の意味を内包し得るのだ。残忍とやさしさ、苦痛と歓喜、汚辱とエロス、絶望と希望、肉体と精神、夢地獄の中の夢幻境の美しさ。

勝連敏男は、勝連繁雄が指摘しているように、「系譜なき血層の猟人をひきうけた詩人」であると言えるかもしれない。「夢」と格闘した詩人たちがいなかったとはいえないにしても、彼ほど、「夢」の語を数多く刻んでいった詩人はそう多くはないに違いないからである。また、彼の「夢」は「情念」そのものであり、それゆえに「ありとあらゆる深層の意味を内包し得る」という指摘もそうだが、それぞれに相反する局面を透視し、引き裂かれながらよく耐えて言葉を紡ぎ続けた詩人であった。

勝連は、「夢」との関わりについて次のように述べていた。


―死に出あってから、わたしは毎日夢をみるようになった。夢は、どこまで走ってもいきつく場所がないものや、高い崖から落ちながら底がない、といったものが多い。夢はわたしにとって、苦痛をともなう恐怖だ。夢の中では生も死もない。わたしたちの存在においてこれほど恐ろしいことがあるだろうか。と思う反面、現実をどうにかして夢そのものとして生きられないかという憧憬がある。夢とは無意識に仕組まれた罠なのだろうか。

罠に落ちても気を失うことのない存在。永遠の鞭と刑苦。わたしにとって詩を書くとはまさに償われるはずのない刑苦を背負って生きることだ。視てしまったものから逃れられないわたしはただ詩を書きつづける以外にない。この生地獄で。


一九七〇年一二月『新沖縄文学』一八号に掲載された「特集・沖縄現代詩人集　勝連敏男集」に収められた「夢・刑苦」に見られるものである。

これほど率直に「詩を書く」ことについて触れた勝連敏男の文章は他にないのではないかと思う。それだけに貴重なエッセーだといっていい。勝連は、「死」に出会ったことで「夢」を見るようになったという。そしてその夢は、恐怖そのものであったが、その夢を、生きてみたいという「憧憬」もあったというのである。勝連敏男が、他と異なるのは、そこのところにあった。夢が罠だとしても、罠にたじろがないこと、試練を試練として引き受け、そのことを表現していくのだという、詩人の覚悟を表明しただけでなく、それを見事に貫いたのである。

池の畔りを
嘘体が歩いている
夢の海では
魚が錆びている
夢の空には
破船が浮いている
夢見たことが
〈非運〉のはじまりならば
ぼくらは
贅の花にも
眩み堕ちよう
風景は荒寥としている
悲鳴を愛したために

夢の魚は土に病んだ
草の傷口に
明かりを配るのが
暗さを愛すること
とは　なんとまた
渇きに飢えた
夢や眼であることだろう

未来は灰が
遠景は疲労が
とりまいている
〈団らん〉の時では
夢が溺れ
〈聖餐〉の場所には
眼が溺れている
想うことがどれも
不幸にゆきつくのであれば

夢も眼も
〈予望〉の痛みだ
どれもこれもみんな
苛酷の真只中に
在るのだから。

『詩集 帰巣と非命 1977』に収められた「病んで夢巣で」と題された詩篇である。「夢・刑苦」を詩化したといっていいものである。

現実にはあり得ようもない姿をとってつぎつぎと表れてくるものたちとの不調、偏愛がいきつくところの「不幸」、それはまさしく「苛酷な真只中」にいることの「痛み」にほかならない、といった認識は、勝連の基本的な立ち位置であった。

勝連は「根拠・自註I」のなかで「〈現実〉が自然に転変をしいる。〈夢〉が時間を欠落させる。〈生活〉が肉体に不自由を強いる。〈飢餓〉が夢をうみ渇望を捨てる。／〈夢〉の関係の構造は不可避である。それゆえその逆の関係を成立しうる。とすれば、それぞれを過渡の関係としてみれば、不可避の関係としうる。ということである。これらは例外なく、視えるまたは視えてしまった人間の本質的な不幸である」と記した後ですぐに「しかしきみじしんはほんとうに視えているのか？」と問うていた。

勝連は、おそらくその問いの間を行きつ戻りつしていたのである。そして、その一つの帰結を「病んで夢巣で」に出していたのである。

4

七〇年代の詩人たちがいやおうなく「祖国復帰」「日本復帰（併合）」といった動乱の時代を生きたといったことは先にふれたことだが、勝連には、そのような激動した「政治の時代」の沸騰を見ることはできない。五〇年代から六〇年代にかけて沖縄の戦後詩を導いてきた詩人たちが、激しい体制批判を力をこめて表現してきたのを知るにつけ、その異系の登場には、瞠目すべきものがあった。

勝連の詩が、孤立の相を際立たせているのは、たぶんに、五〇年代の詩人たちの詩と切れたところから出発したところに求められようが、それは、一つには、いわゆる「琉大文学」派といっていいグループと直接関係してなかった点にあるかと思われる。そしてそれは、ひとり勝連だけでなく、同時期活動を始めた伊良波盛男、比嘉加津夫、水納あきら等についてもいうことができるかもしれない。

沖縄の五〇年代から六〇年代の詩壇が、「琉大文学」派を主流としていたとすれば勝連たちは傍流であったといえるが、傍流が力を持ち始めていた時代でもあったのである。そしてそれは、清田政信が「沖縄戦後詩史」（『現代詩手帖』一九七二年九月号）のなかで「革命思想とその組織とは全く切れたところで、解体しつくした生活圏から言葉の仮構力をためしつつある」詩人のひとりとして勝連敏男をまっさきにあげていることにも表れていよう。

勝連は、確かに清田が指摘しているとおり「革命思想とその組織とは全く切れたところ」で独自の詩を書いていたにちがいないし、勝連の詩に、社会運動の直接的な反映をみることはむつかしいが、次のような評があることを見落とすことはできない。

勝連が「亡霊の村」と呼ぶ地縁の場所は、その村落のかたちをとどめながら、基地の有刺鉄線の向うでひっそりと所在している。贄の村を追われて贄としてコロニーに追いやられた村人の、滅びの意識を共有せざるを得なかった勝連にとって、Passion ＝受難は、「受苦」という修正をおこなって、かろうじて成立する。

勝連にとっては「民衆」は贄によって生かされた存在として映るだろうし、かつての島ぐるみの基地闘争においても、贄はそのままに葬りさられたし、大衆に贄の存在が意識されることはなかった。

十代の後半という早い時期に、勝連がこの「贄の思想」に思いあぐんだことは、存在の本質を洞察することにおいて、勝連が実に早熟であったことを示している。しかし、それよりも、〈彼の苦痛の大きさと精力の大きさ〉をふたたび思いおこしたほうがいいだろう。

〈視てしまった者の苦悩〉は、どうしても〈視えてしまう〉不幸な能力を負った者の苦悩である。

大湾雅常は「受苦のうた・贄の思想　—勝連敏男について—」（『新沖縄文学』二五号　一九七四年一月）で、そのように書いている。

勝連は、係累の生きた地を「〈故〉郷」、「〈異〉郷」、「〈移〉郷」、「原郷」とさまざまに言い表すと同時に「亡霊の村」、「贄の村」とも表現していた。勝連によって「亡霊の村」と言い表された村の向うに、大湾は「基地の有刺鉄線」をみていた。そして「贄」の語に、「かつての島ぐるみの基地闘争」が呼び起こされていた。そのような感応は、まさにその時代のものであったといっていいのであるが、勝連は、慎重に、状況論的言辞を避けたというより、「革命思想とその組織」の常套語が放つ、ある種の硬直化に我慢できなかったのである。

5

『勝連敏男詩集 1961—1978』に収録された「未刊詩篇　亡郷のほとり」「未刊詩篇　熱のある花」「詩集　ある〈非望〉ある〈宿運〉Ⅰ」「詩集　帰巣と非命」に収められた詩篇に見られたおびただしい「夢」の語は、異様といわざるを得ないほどだが、その「夢」の出所をよく示してくれる一篇があった。

〈うしろのものをわすれよう〉
といったのはたぶんゴッホだ

わたしはテオにはなれぬが
一本のひまわりを
愛し憎むことはできる
でもいまは
渇えそのものだから

『詩集　帰巣と非命　1977』の最後に置かれた「不安の秋からの帰魂」と題された一篇の最後の連である。

勝連は、「死に出あってから、わたしは毎日夢をみるようになった」と書いていた。その言葉を疑う必要はいささかもないが、彼の夢が、彼の表記にみられる「〈故〉郷」、「〈異〉郷」、「〈移〉郷」、「原郷」「幻郷」と深くかかわっていたことを知れば、むしろこの一篇の一行に刻まれた「わたしはテオにはなれぬ」という無念の思いを、第一に受け取らないわけにはいかない。

テオが、ゴッホのためにいかにつくしたかは、『ゴッホの手紙（テオドル宛）中』（硲伊之助訳）一冊を読むだけでわかるだろうし、なによりもゴッホが末妹ウィレミーン・J・V・ゴッホにあてた「もしテオがいなければ、ぼくは自分の宿題をやりとげることができないだろう。しかし彼が友だちである以上、まだまだ進歩できるし、思いどおりにやれるだろうと信じている」（『ファン・ゴッホ書簡全集第六巻』小林秀雄　滝口修造　富永惣一監修）という書簡によく表れている。

テオはゴッホの望むものを何よりも優先した。それだけに、ゴッホの死は、テオに「無限の悲しみと打撃を与へた」ばかりでなく、ゴッホが亡くなって半年後「亡兄の霊に抱かれつつ精神病院の一室で狂死した」（式場隆三郎『ヴァン・ゴッホ』）というように、テオはゴッホにまさしく全身全霊をもってつくしたのである。

勝連が、裕の翻訳とともに小林秀雄の『ゴッホの手紙』を読んでいたことは間違いない。そこで「わたしはテオになれぬ」という思いを、強くしたにちがいないのである。

「テオ」にはなれないという断念とともに、押し寄せてきた悲傷が、勝連の「夢」の出所であったといっていいのではなかろうか。

又吉栄喜の初期作品

又吉栄喜の「海は蒼く」が、第一回『新沖縄文学賞』佳作入選作」として『新沖縄文学』に掲載されたのは、一九七五年一一月。作家としての又吉の登場を告げた最初の作品である。そしてそれは一九八八年刊行された『パラシュート兵のプレゼント』に収録される。

「海は蒼く」を丁寧に見ていくということになれば、当然、両者を検討することから始めなければならない。両者に違いはないかということをまず調べるのである。すると、前者は「化石した珊瑚礁でできた狭い通路は」と始まって、「少女は目をこらして前方を注視した。闇が深く降り、老人はいなかった。『亀地』で一人座って、見るだけのことはもはや、すまい」と終わっていたのに対し、後者では「珊瑚礁に化石でできた狭い通路は」と始まり、「少女は目をこらして前方を注視した。闇が深く降り老人はいなかった」と終わっていた。作品の書き出し部分では、正確な表現への変更、結びの部分では、説明的な文章の排除といったことが行われているように、作品は、単行本収録の際、手が加えられていたことがよくわかるのである。

なぜそのようなことに拘るかというと、最初に発表された作品について「描写の混乱、読んでいて疲れを覚えた。晦渋な文章は、未熟といえば未熟だが、それがまた新鮮に映る」（牧港篤三）といった評があるからである。前者を読めば、確かにそうだと言えない事もないが、後者ではそれがどうなっているかといった問題があるからである。

どのテクストを使うかによって作品の陰影が異なるものになっていくことがあるのである。作品を丁寧に見て行くということになれば、その検討が必要になるのだが、ここでは、そのようなことにあまりこだわらず、単行本に収録された作品をテクストにして、芥川賞作家、又吉はその初期、どのような作品を書いていたかといった点に焦点をしぼって見ていきたい。

「海は蒼く」の粗筋はつぎの通りである。

少女は、「渡しのポンポン船に二時間ばかし揺られて美里島」にやってきて、渡し場近くの宿に滞在する。近くにある「亀地」に毎日やって来て、そこで何時間も過ごし、漁に出る船の出入りを見ている。そして、その中に老人が一人で漁に出る船があることを知り、ある日、無理に頼んで、乗せてもらう。まる一日、船で一緒に過ごし、戻ってくる。別れ際、老人から魚を一尾もらう、というものである。

少女が、どこから島にやってきたのか分からない。事件らしい事件が起こるわけでもない。強いて上げれば、船の上で、少女が裸になって、老人の前に立つ、といったことがあるが、それで何かが起こると言うわけでもない。それは、とりもなおさず、作品が、少女と老人との会話を核にして進行していくことを示していた。そこで、会話を大雑把に追っていくと、船に乗り込むまでのやりとりに始まり、漁場での魚の種類、海で起こる出来事、宗教、職業、生死、その他細々としたことについての応答、海の上で思い浮かんできた少女の疑問に、老人が答えていくといったかたちになっていた。

少女は、老人に疑問を投げかけて行くなかで「私は、この十九年間、何を生きてきた」のかと思う。「何にも愛情を感じず、自然の秘密のおもしろさに気づかなかった」だけでなく、「やる前から、その結果が手にとるようにわかる」ので、何をやるにしても「ばからしく」なっていた。そしてここ二、三カ月の間「考えるのもおっくう」で、「どうにでもなれという気持ち」でいたのだが、老人との応答で、それが拭い去られていくのを感じる。

少女は、老人の話を聞いているうちに、「私も何かに関心がもてるかも知れないという予感が」広がっていくだけでなく、「次第に私は何かできるかもしれないと自信が」芽生えてくるのである。

又吉は、そこで一種の「モラトリアム」期にある、少女を描こうとしたのではないか。

小此木啓吾は『モラトリアム人間の時代』で「青年期の課題は、おとなの自我によって、それまでに準備された、たくさんの「…としての自分」(同一性)を改めて自覚し、それにコトバを与え、社会的現実の中で選択し直すことにある。この自己選択のプロセスは、思春期から青年期の終りまでつづく。青年の自意識が過剰になり、さまざまな価値観や人間の生き方、思想に対決し、『主体性』『自立性』『自我』『実存』といった観念的なコトバを深刻に追い求めるのは、この自己選択の努力のあらわれである」といい、次のように続けていた。

しかも、青年期は、モラトリアムとよばれる。なぜならば、この青年期の課題を心得た社会の側は、青年（たとえば大学生）に、決して性急に本当の責任と義務を課しはしないからである。換言すれば、このモラトリアムに決着をつけて、青年期からおとなになるということは、もはや遊びや実験ではない。特定の同一性を選ぶことである。「これが本当の自分だ」と選択した「…としての自分」に自己を賭け、特定の社会集団や組織や歴史的世界と、ガッチリと結び合う。それがモラトリアムを脱した社会的なおとなの誕生である。そのようなアイデンティティの確立に至るまでのモラトリアムとしての青年期は、同一性の拡散（diffusion）と葛藤（conflict）が頂点に達する年代である。「自分は何者であるか」「自分はどんな自分を選ぶべきなのか」…。青年期は自己選択と自己定義をさまざまに試み、そのような自我意識が過剰になる年代である。

「海は蒼く」の少女は、まさしく「モラトリアム」的状態にあったといっていいのだが、老人との応答を期に、そこから脱していくにちがいない様子が描かれていたといっていいのである。そしてそれは「海は蒼く」だけでなく、翌七六年一一月、第四回「琉球新報短編小説賞」を受賞した作品「カーニバル闘牛大会」についてもいえることであった。

「カーニバル闘牛大会」は、少年が、闘牛場で体験した出来事を書いたものである。広場に設営された闘牛場にくると、「南米系らしい小柄な男が、牛の手綱を持っている沖縄人の男にわめきちらしている」姿を、少年は目にする。牛が外国車の「助手席の扉」をへこましたということで、怒っていたのである。観衆は、その様子を遠巻きにして不平をならしたりするが、それ以上のことをする様子はない。牛の手綱持ちは耐えるだけである。そこへ、闘牛好きで「大きな太鼓腹」のマンスフィールドさんがあらわれ、「チビ外人」とのやりとりがはじまる。何がどう解決したか不明だが、やがて「チビ外人」は外国車に乗り込み、「アクセルをやけに高くふかし、排気ガスと土けむりをたてて」走り去ってしまう。

手綱持ちの男だけでなく彼と牛を取り巻いている観衆にできなかったことを、マンスフィールドさんがいとも簡単に解決してしまった、というものである。その様子を一部始終見ていた少年もまた何一つできなかった。勿論、声を出そうとしたが、「声が出ない」だけでなく、牛に石を投げ、暴れさせ、もっと車を破壊してやろうと、石を探すが「一個もみつからない」。ともすると、群衆に囲まれていても委縮する様子もない「チビ外人」を「羨望」する気が起こったりする。

又吉は、その「少年」を描いていくのに、「感じた」を多用していただけでなく、「思った」といった表に現れることのない心中をあらわす言葉を用いていた。行動をうながす状況を目の前にしながら、動けない状態に留まっている少年を描いていた。そこにもまた「モラトリアム」状態にある少年が描かれていた、といっていいだろう。

又吉の初期作品を彩っているのはそのように「モラトリアム」状態にある「少女」や「少年」であっ

た。

又吉は『時空超えた沖縄』のなかで、「芸術というのは、変わらない心の中のもの（強固に固まっていく夢の国）が変転極まりない時代と拮抗をくりかえしながら、つまりは、無慈悲な時の流れに壊される心の風景をキャンパスや文字の中にファイルする行為ではないだろうか。人は幼少の頃の心の風景をなんらかの形にファイルしなければ、実際の風景がなくなった時（なくならなくても）心のすきまに虚無のようなものが忍びこむのではないだろうか」と記していた。

又吉は、繰り返し彼が少年の頃夢中になって遊んだ「亀地」や、幼少の頃通った「ウシモー」のことを書いているが、「海は蒼く」も「カーニバル闘牛大会」も、その記憶を「ファイル」したものであった、といっていいだろう。又吉は、「心の風景」を大層貴重なものだと思っていて、それを「ファイルしなければ」ならないという切実な思いから出発したのである。しかし、それは単に「ファイル」するためだけでなく、又吉自身が「モラトリアム」を脱するためにも必要だったのである。

新聞は、二〇二〇年七月三一日、「名桜大学大学院の山里勝己特任教授によると」として、ジョン・シロタが、二八日に亡くなったことを報じていた。また一つ、大きな星が落ちたと思わざるを得なかった。

戦前移民に関心のあるものにとって、ジョン・シロタは、大きな星であった。彼の作品は、私たちを新しい地平へ導くものとなっていたし、そのいくつかの場面、例えば、母親が、何一つ共通するものがないといって結婚をいやがる娘に、「同じ沖縄ではないか」といって、説得する場面（「ラッキー・カム・ハワイ」）、あるいは、両親の遺骨がなくなると、帰る場所を失ってしまうではないかといって、沖縄に遺骨をもって戻るためにやってきた叔父に、いとこたちがマウイと沖縄とに分骨を提案する場面（「レイラニのハイビスカス」）、その他、数々の胸が張り裂けそうになる場面は、否でも応でも、ここに沖縄の魂があるという思いを深くさせるものがあった。

ジョン・シロタの死は、一つの時代の終わりを告げるものであった。それは、ハワイで琉歌会を結成し、琉歌の指導にあたった比嘉武信ともう一方の雄比嘉良信の相次ぐ死を含めて、海外での沖縄の表現が、これで消えてしまったのではないか、ということとも関連する。ハワイ琉歌会の消滅は、そのことを示す象徴的な出来事だったし、小説作品にしても、その一挙手一投足が、いかにも沖縄的であるといった、ジョン・シロタの書いたような作品にめぐりあうことは、もはやないのではないかと思うのである。
「遊女たちのゆくえ」は、発表することもなく、しまい込んであったものである。もう少し煮詰める必要があると思って置いておいたのだろうが、煮詰めることができないまま、収録することにした。他の論考の初出誌は次のとおりである。本書収録にあたって題名を入れ変えたのもある。

Ⅰ山之口貘の章
1「〈ない〉ことをめぐる〈思弁〉―山之口貘の詩」『貘のいる風景　山之口貘賞20周年記念誌』若夏社　一九九七年七月二四日
2「応答の詩学―『いう』の形相」『Myaku』二〇一三年八月二三日
3「『新編山之口貘全集 第一巻 詩篇』に触れて」『現代詩手帖』思潮社　二〇一三年一一月一日
4「本土『幻想』の結末―山之口貘の『沖縄よどこへ行く』をめぐって」ミネルヴァ書房　二〇一五年三月三〇日

Ⅱ大城立裕の章
1「解説　小説『琉球処分』」『大城立裕全集1』小説I　勉誠出版　二〇〇二年六月三〇日
2「歴史の決算―大城文学と琉球・沖縄の歴史―」『大城立裕文学アルバム』勉誠出版　二〇〇四年三月一〇日
3「戦場の性愛―『夏草』小論」『Myaku』二〇一三年一一月二〇日

4「初期移民終焉の物語―大城立裕『エントゥリアム』をめぐって―」『越境広場』二〇一六年七月三〇日
5「遊女たちのゆくえ ―『幻影のゆくえ』をめぐって」未発表
コラム　大城立裕の琉歌　未発表

Ⅲ個別の章

1「沖縄戦をめぐる言説 ―『りゅう子の白い旗』をめぐって」『日本東洋文化論集』第15号 二〇〇九年三月三一日
2「『母』なるもの ―川満信一の詩」『脈』二〇一七年八月二〇日
3「三つの男たちの戯曲と二つの女たちの小説」『山城達雄選集』ボーダーインク　二〇一八年七月三〇日
4「言葉を入れる、言葉を繋ぐ ―東峰夫の作家姿勢」『脈』二〇一七年一一月二〇日
5「『南の傀儡師』をめぐって ―星雅彦の初期小説」『うらそえ文芸』二〇一九年一〇月三一日
6「『夢』の出所―勝連敏雄 1977年～1978年」『脈』二〇一九年五月二〇日
7「又吉栄喜の初期作品」『うらそえ文芸』二〇一七年一〇月三一日

沖縄の文学にこれまでとは少し色合いの違うようなものが表れ始めてきたように思う。それは、沖縄を感じさせない作品が見られるようになったというのとは少し違う。二〇一九年に刊行された

作品に又吉栄喜の「仏陀の小石」や大城貞俊の「海の太陽」といったのがあった。又吉にはかつて「巡査の首」があったし、大城貞俊にも「パラオの青い空」があって、海外と関わった作品はあったが、彼らだけではなく、やはり二〇一九年に刊行されたのに真喜志興亜の『諸屯 しゅどぅん』、ミヤギフトシの『ディスタンス』があったし、異色の作品で、少し前の二〇一七年には池上永一の『ヒストリア』があった。

沖縄の文学は、場所としての沖縄にとどまらないものとなってきたように見える。そして、それはかつての移民小説とも違うもので、その傾向はいよいよ強くなっていくのではないかと思う。ジョン・シロタの死が、一つの時代の終わりを告げたように見えるのも、そのようなことと関係しているのであろう。

二〇二〇年九月

仲程昌徳

著者略歴
仲程 昌徳（なかほど・まさのり）

1943年8月　南洋テニアン島カロリナスに生まれる。
1967年3月　琉球大学文理学部国語国文学科卒業。
1974年3月　法政大学大学院人文科学研究科日本文学専攻修士課程修了。
1973年11月　琉球大学法文学部文学科助手として採用され、以後2009年3月、定年で退職するまで同大学で勤める。

主要著書
『山之口貘―詩とその軌跡』（1975年　法政大学出版局）、『沖縄の戦記』（1982年　朝日新聞社）、『沖縄近代詩史研究』（1986年　新泉社）、『沖縄文学論の方法―「ヤマト世」と「アメリカ世」のもとで』（1987年　新泉社）、『伊波月城―琉球の文芸復興を夢みた熱情家』（1988年　リブロポート）、『沖縄の文学―1927年～1945年』（1991年　沖縄タイムス社）、『新青年たちの文学』（1994年　ニライ社）、『アメリカのある風景―沖縄文学の一領域』（2008年　ニライ社）、『小説の中の沖縄―本土誌で描かれた「沖縄」をめぐる物語』（2009年　沖縄タイムス社）。『「南洋紀行」の中の沖縄人たち』（2013年）、『宮城聡―『改造』記者から作家へ』（2014年）、『雑誌とその時代』（2015年）、『沖縄の投稿者たち』（2016年）、『もう一つの沖縄文学』（2017年）、『沖縄文学史粗描』『沖縄文学の一〇〇年』（2018年）、『ハワイと沖縄』（2019年）、『南洋群島の沖縄人たち』（2020年）、以上ボーダーインク。

沖縄文学の魅力
沖縄の作家とその作品を読む

2021年2月10日　初版第一刷発行

著　者　仲程　昌徳
発行者　池宮　紀子
発行所　ボーダーインク
〒902-0076　沖縄県那覇市与儀226-3
電話 098(835)2777　fax 098(835)2840
http://www.borderink.com
印刷所　でいご印刷

ISBN978-4-89982-399-5